JN014244

目次

うたいおどる言葉、黄金のベンガルで

少女ササキ、天竺をめざす

「インド行きたい病」発症

子どものころ、じぶんの生きている町はとても広い場所で、世界のすべてなんだと思っていた。セミがじりじり鳴く夏、入道雲が空いっぱいに広がる。日が暮れるまで、友だちとかくれんぼをしたり鬼ごっこをしたりした。雪の季節には父に雪玉を投げたりかまくらを掘ったりした。

永遠に遊びの時間が続くものだと思っていた。遊ぶことが仕事であったから、優秀な子どもたるべく、せっせとさまざまな遊びを開発した。その町は小高い丘のようになっている。自転車で勢いよく坂を下ると、のびのびとした風景が目に入る。遠くには山、山の足元には人々のすみかと水田、とうとうと流れる川。それが小さなころに焼き付いた風景の記憶で、世界のすべてだと思っていた。

今思うと、ふるさとの町はとても小さかった。市とはいえ人口が六万人台で、県民の総人口を合わせても世田谷区に太刀打ちできないと知ったときは驚いた。東京で生活していても、福井出身の人と出会うことがめったにないのはそもそも人口が少なかったからだということが今になってやっとわかった。

子どもは生まれて育つ場所を選べない。しかし子どもはどこで生まれて育っても、目の前の世界を全力で遊び道具にしようとする。文字が読めるようになり町の歴史を学びはじめると、少女ササキは歩ける範囲、自転車に乗れる範囲で町を自主的に観察しはじめた。古墳や神社、むかしの人が生きていた痕跡に触れるのが少女のお気に入りだった。自分の小さな町に、四世紀とか五世紀とかのそれくらいむかしから同じ場所で生きてきた人々がいるということを不思議に感じていたのだ。

そのうち、日々歩いていた道のひとつは、親鸞（一一七三―一二六三）という浄土真宗の宗祖が歩いた可能性のある道だということがわかった。越後への流罪となる道中に、彼が地元の豪族である波多野景之の屋敷で説法したのが、この町で浄土真宗が根付いたきっかけだという。十三世紀のことだった。この町の人々がなんとなく信心深く、近所の人が亡くなったから、といって父や母が葬式に繰り出す理由がほんの少しわかるような気がした。聖人がこの町を歩いて、教えを説いたのだ！

少女はほどなく歴史の教科書を通じて、仏教はインドが発祥であることを知るのである。親鸞さんという人は、いろいろあって流罪となったけど、その途中に私のまちに立ち寄ってくれて、教えを広めてくれたのだ。人口六万人台の何気ないまちの風景がインドにつながっているのかと思い、とてつもなくびっくりした。

「この空がインドにつながっているのか……」

クーラーの効かない夏の教室、授業の眠気が吹っ飛んだ。

歴史をもう少しだけ学ぶと、別に親鸞聖人が直接インドに行って、教えを持ち帰ったというわけではないことはすぐわかる。仏教を介した日印交流史をものすごくざっくりと振り返ってみよう。仏教の教えは天竺からシルクロードを経由して、中国や百済に伝播し、それが日本海を越えて日本にもたらされた。七–八世紀には仏教の教えを学ぼうとして、遣唐使とともに仏僧たちが命の危険を冒しながら中国へ渡ったという。日本にもたらされた仏教は、日本で独自の発展を遂げ、親鸞が浄土真宗の開祖となる。彼がこの町を歩いた十三世紀、そもそもインドでは仏教はほとんど滅びているのだが、それでもインドと日本、信仰が時空を超えて形を変えながらも伝わり、寺や門前町としてまちの風景の遺伝子となっていることは、ひとりの少女にとってとても刺激的なことであった。そこからほどなくして少女は「インド行きたい病」を発症し、勉学へと打ち込むことになったのだ。

少女が病を発症したのは二十一世紀だった。テクノロジーが発達した現代世界においてその病の治療は比較的簡単だ。行ってしまえばいいのである。日本とインドには直行便があり、成田とデリーはおよそ九時間で行き来できてしまう。勇気と時間と航空券を買うためにアルバイトする気力と体力さえあれば、「インド行きたい病」はとても簡単に解決できる。大学生になった少女はサラリーマンが大宴会する寿司屋の配膳アルバイトに明け暮れ渡航資金を稼ぎ、エア・インディアのチケットを購入した。「インド行きたい病」が結果的にベンガルという土地への縁へとつながるというのは、この本をお読みのあなたなら説明せずともわかってくれるだろう。

インドにハマった中世の僧侶

日印交流史をかじると、「インド行きたい病」というのは、何も私だけがかかる病気ではなかったということがわかる。親鸞とときを同じくした十三世紀、「インド行きたい病（重症）」にかかった仏僧が存在したのだ。それは明恵（みょうえ）（一一七三―一二三二）という人物だ。『大唐天竺里程記』という、インドへの行程表を書いたものを常に持ち歩いているくらいの「インド病」だが、天竺への旅は、本人の病や神託により断念せざるを得なかった。

印度は仏生国（ぶっしょうこく）なり。恋慕の思ひ抑へがたきにより、遊意のためにこれを計る。哀れ哀れまいらばや。

——明恵『印度行程記』より

天竺への思慕は募りに募り、釈迦へ手紙を書いたり、和歌山の海の石を仏に見立てたり、仏への忠誠を誓うために右耳を切断する。明恵の天竺へと募る想い、仏に対する信仰心は、羊飼いの娘ラーダーがクリシュナ神に恋焦がれたインド神話を彷彿とさせる。明恵の信仰心の発露を知れば知るほど、簡単にインドへ行ってしまえる二十一世紀の私には申し訳ない気持ちが芽生えるのだが、本人は「インドで生まれていれば仏跡めぐりで満足してしまい、こんなに修行に明け暮れることはなかった」と弟子に言い聞かせたそうだ。短いスパンで彼の人生を考えると「失敗」ということなのだろうが、長い目で考えたときに、宗教者としては「インドに行けない」ということがきっとプラスに働いたのだろう。素人なりの歴史解釈を施した私は、過剰に申し訳ないと思わなくてもいいや、と勝手に結論づけた。

インドに逃げたい岡倉天心

ある意味いちばん、日本の仏教の活きがよかった時代、後世の人々に愛される仏僧が同時代的に誕生した時代、つまり日本の仏教世界で霊性があちこちで花開いていた時代に、天竺と日本の精神距離は縮まった。明恵が寝ても覚めても天竺のことを想っていたと思うと、その精神的距離はエア・インディアよりも近いどこでもドアだ。しかし時代が戦国から天下統一、江戸へと進むにつれ、仏教は管理の対象となり、弱体化が進んだ。二百六十年に渡って平和な世の中が続いたが、日本は鎖国状態であったし、仏教を通じた精神的な日印交流ももうなかったから、このころ天竺からもたらされるものといえば、キャリコといった布などの文物であったり、蘭学者が記述する情報としてのインドだった。

明治以降、日本が仏教をつうじてインドに影響を受ける時代が再来する。その中心人物は明治期に活躍した文人・岡倉天心だ。日印交流史の中心的舞台はベンガル地方・カルカッタであった。一九〇一年のインド訪遊では、ベンガルのタゴールやヴィヴェーカナンダと親交を深める。この縁がきっかけとなり、岡倉の門下生であった日本画家の横山大観や菱田春草が二年後、装飾画を描くために渡印する。「アジアはひとつ」という言葉が有名な名著『東洋の理想』は、渡印の前後で編まれた。彼の尽力により、長い鎖国時代を経て、インドとの新たな精神交流の歴史が紡がれることになった。タゴールも岡倉との友好関係により日本への憧憬を募らせ、一九一六年に初めて日本を訪れることになった。コルカタには岡倉天心が結んだ日印交流の歴史を記憶すべく、Rabindra Okakura Bhavan（岡倉・タゴールの館）と名付けられたホールがいまもある。

歴史として振り返ると岡倉天心の成し遂げた日印交流史は後世に輝くダイヤモンドのようないち場面だ。しかしじつは、岡倉天心がインド行きを望んだ理由は半分が前向きで、もう半分が後ろ向きだといわれている。前向きな渡航目的は仏跡調査やインドの美術界との交流や東洋美術の源流に触れることだった。しかし表向きではない理由として、不倫問題を機に日本美術界から追放されてしまい、日本から逃避したいということがあった。諸事情がからみあって、このタイミングでの渡印は天心にとってものすごく都合がよかったのだ。一九〇一年のインド行きは周りをたいそう困惑させただろうが、偶然のおかげで、精神的な日印交流史が復活したのである。しかも人的交流を伴って。岡倉に人生の嫌気がさしていなかったら、もしかしたらタゴールとの出会いはなかったのかもしれない。

そんなこんなで、日本美術を世界に知らしめた人物として歴史に名を刻む岡倉天心の、人間じみた側面が私はどうしても気になってしまう。この、「インドへ逃避したい」という気持ちは私の中にときどき巣食う感情でもあるから、周りの人々を困らせたであろう岡倉を糾弾できない自分がいる。仕事が心底嫌になったときや、私生活でトラブルがあったとき、「もう全部やめてインドに行きたい」という逃避欲求が生まれる。そのような感情は、文学少年少女を魅了しインドに送り込んできた、『深い河』や『深夜特急』から育まれたのかもしれない。「インドへ逃避したい」という、岡倉天心のころからもしかしたら続くかもしれないこの気持ちは、現代日本人の心にときどき発生するひとつの欲望なのだろうか。

オートマチックに物事が動く日本を離れて、混沌とカオスに飲まれ、生きているという感情を味わい尽くしたい。かといって一方的にインドを消費するのも違うと思う。都合のいいインド像を押し付けてはだめだ、もっと本当のインドを見てみようと、言葉を学び文化を知るうちに、この土地から逃げられなくなっている自分がいた。

神様と行者は信頼の紐で結ばれている。

——とある人から聞いた、うろ覚えのグジャラーティーのことわざ

映画は仏像なのではないか

　さて、この文章を書いていてふと気がついた。もしかしたら国境を越えて映画をつくることは、二十一世紀型の精神活動なのかもしれない。映画はエネルギーと資金がかかる芸術だ。仏像を建立するようなことに例えても、おかしくはないだろう。鎮護国家として立派な大仏が作られた時代があれば、廃仏毀釈として仏が蔑ろにされた時代もある。映画もこの後、きっと興隆と衰退の歴史を繰り返すだろう。でも楽観的に物事を捉えたい。二千五百年くらいのスパンで仏教という信仰が生き続け、現代にまで伝わっていることを考えると、誕生してまだ百五十年くらいの映画史なんて始まったばかりだ。ときにピンチになったり、ときに盛んになったりしながら、それでもしぶとく生きながらえていくはずだ。

　遣唐使が唐に向かう出発地点だった福岡。百済からもたらされた金印が展示される博物館の隣には、日本でふたつしかない映画アーカイブのうちのひとつが存在する。私はたまたまそこを見学させてもらう機会に恵まれた。アーカイブには、南アジアのみならずアジア諸国の映画のフィルムが鎮座し、涼しい部屋で半永久的に保存・保護されている。聖なる空間ともみまごう神々しさで身震いした。フィルム保護のために物理的にエアコンの温度がかなり低かったのも身震いの原因のひとつかもしれない。フィルム棚にはアジア映画人の名前のサインが誇らしげに刻まれていたから、思わず写真を撮ってしまった。いつの日か私の映画をここに保存し、私の寿命より長生きしてもらいたいなと思っている。

昔の日本では、女は遣唐使や開祖となることができなかった。二十一世紀の日本、女は映画を作ることができる。飛行機のチケットひとつで天竺に行くことができる。きゅうくつなことばかりの日本だが、マクロな視点で日印交流史を読み解けば、私はいま、面白い時代を生きているのかもしれない。

このうえなく「甘い」ベンガル語

「sweetな言語」に触れてみないか

二〇一〇年、ユネスコがベンガル語を「世界でいちばんsweetな言語」である、と宣言したというトピックがインターネットのニュースサイトに登場した。「世界でいちばんsweetな言語」とは？　はて。sweetを直訳すると「甘い」。「甘い言葉」ってなんだろう。食べられるのか？　いや、いやいや、そんなわけはない。そこで私はケンブリッジ辞書をめくってみる。イギリス英語の解説によると、「匂いや音がsweetだとすると、それは感じが良くて心地がいいということ」らしい。言語に対してsweetと形容しているということは、音の響きだったり書き言葉の印象を指すのだと推測する。「心地いい言語」と訳すのは「不快」というネガティブな言葉を対義語として連想させるから、「甘美な言語」と訳してみるのはどうだろうか。「ベンガル語は世界一甘美な言葉」。どうだろうか。みなさん勉強する気持ちが高まりましたか。

しかし冷静に考えてみて、ユネスコが世界の言語のランキング付けをすることがあるのだろうか……と訳語を思いついたあとで調べてみたら、どうやらこれはフェイクニュースのようだった。ベンガル語の虜になった外国人のひとりだから、危うくこのニュースに踊らされかけた。全国書店に並ぶ書籍でフェイクニュースを拡散するところであった！

近ごろ、インターネットはエリートが占めているとばかり主張していたが、もはやバカばっかりだと言わなければならない。

——スビル・ゴーシュ氏ブログより

ユネスコに直接問い合わせをしたが、そんな宣言は一ミリも見当たらなかったと自らのブログに記すベンガル人ジャーナリストのスビル・ゴーシュ氏は、兼好法師の嘆きのような愚痴でその記事を締めくくった。

インターネットを眺めていると、私と同じようにこのニュースにひっかかっているベンガル人がたくさんいるように思える。これは「ベンガル語は世界一甘美な言葉」という物語を信じさせるだけの熱量が、ベンガル語にきっとあるということなのだろうか。それならフェイクニュースではないベンガル語の魅力を、この章では改めて説明してみようと思う。

「マイナー言語」なんかじゃない

まず、ベンガル語をマイナーな言語だと思っている日本語話者に言いたいのは、ベンガル語話者は日本語話者より多いということ。ベンガル語を話す人は世界に三億人くらいいる。話者人口のみをその物差しにするのならば、日本語の方がマイナー言語である。歴史的な経緯を経て、インドとバングラデシュ、二カ国に話者がまたがり、ベンガル人のディアスポラは世界各国に散らばっている。

経済学の分野ではアマルティヤ・セン、ソーシャルビジネスの分野ではグラミン銀行創始者のムハンマド・ユヌス、文学の分野ではラビンドラナート・タゴールやノズルル。口承文学の世界がもともと大変豊かで、歌い舞う放浪の吟遊詩人のバウルの歌は人々に広く聞かれている。映画の分野では「レイの映画を見ていないのは月を見たことがないのと同じ」と黒澤明に言わしめる巨匠サタジット・レイ。日印交流史の中心はベンガルであり、有名な中村屋のカレーはラス・ビハリ・ボースというベンガル人が考案した。学問や芸術の分野でベンガル人やその二世であるベンガル系アメリカ人・イギリス人たちは突出した成果を発揮している。

日本にもバングラデシュからの移民は増え続けており、バングラデシュという国家そのものの発展の最中にあるので、ベンガル語を使う仕事は今後も増え続けるだろう……。

といったベンガル語のさまざまな可能性には、ベンガル語を学び始めてから気がつくことになった。実は、私がベンガル語を学ぶに至ったのは、積極性の中に生まれた消極的な選択の結果である。

はじまりは「とりあえず」

我が母校である東京外国語大学では、入学前の時点で専攻語を選択しなければならない。なぜなら言語を試しに学んでみることは難しいから。ある程度覚悟を決めてえいや！と選ばねばならず、今風の言葉でいえば「ガチャ」的な要素があるシステムなのだ。入学後、この個々人の素質と言語との相性次第で、大学生活が薔薇色にもなれば灰色にもなる。この

「ガチャ」に外れると最悪退学も視野に入る。高校生だった私は手持ちの興味関心カードを眺めながら、なるべくこのマッチング問題に成功しようと頭をひねった。当時の私の興味関心はこんな感じだ。

- 出生地福井に寺がたくさんあって、仏教が幼少期から身近だった
- 仏教が生まれたのはインドっていうからインド行ってみたいな
- 当時好きだった小説家のカミュが原著で読めたらいいな
- フランス現代思想学んでみたいな

なんとも大雑把な興味関心で、フランス語かインドの言語の二択になった。フランスに行くよりかはインドに行く方がなんとなく難しそうで、言語を覚えた方が旅行しやすいかという算段と、インドの言語を学べる学校の方が少なそうだという希少性の観点から（希少性があるというのは汎用性が少ないことの裏返しと、このときは高校生の私が知る由もない）、インドの言語を学ぼうと思った。きっと大きな国だから面白い文学もあるに違いない！　とりあえず公用語でいちばんメジャーといわれているヒンディー語を勉強してみよう。ということで、ヒンディー語を専攻語として選択し、私は晴れて大学に入学するこ

とができた。このとき、ベンガル語も専攻語として選ぶことができたのだが、なぜだか目に入らず選ばなかったので出会うのは入学後となる。ちなみにフランス語は初等文法から講読の授業まで受けたのだが、結果的に教養外国語止まりのレベルで終了してしまった。フランス映画を見て「これはフランス語だ」と判断できるレベルだ。

ヒンディー語の初等文法が終わり、日常会話くらいはできるようになった二年生の夏休み、友人と一緒にインドの首都・デリーからガンジス川方面に旅行した。ヒンディー語を話せたらインド旅行でよく耳にする、騙されたりとか、迷ったりとか、さまざまなトラブルが回避できるに違いない！　人生初、インドである。しかし言語を覚えたくらいでトラブルが回避できるわけではなかった。空港を降りた瞬間「市内へ行く電車は今動いていない。案内してあげますよ」の絡みに出くわし危うく騙されそうになり、ニューデリー駅のカラスの大群と行き交う果てしない数の群衆に恐怖を覚え、駅から宿に向かう最中に謎の観光案内の話を聞き、四十度の灼熱を歩いた。

「デリーって大変……」と思って別の街に移動しても苦難は尽きない。イラーハーバードのガンジス川とヤムナー川の合流するサンガムの観光ボート上で、五百ルピー払ってココナッツを聖なる川に献上しないと帰れないと言われて冷や汗をかいた。船の上でいくらヒンディー語で「高すぎる、おろしてくれ」など表現できても無駄である。五百ルピーのお布施により下船できたものの、旅の最後で気が緩んだせいか帰りの飛行機内で盛大にお腹を下してしまった。誰しも知る、一通りの「洗礼」コースを通過したのである。噂通り「インド」は恐ろしいところであった。結果、繊細な私の心は折れた。ヒンディー語を使うエリアってちょっと大変そうと思うようになり、帰国後、ヒンディー語専攻という自らの選択が正解だったのかどうか、よくわからなくなってしまった。そんなときだった。ベンガル語と出会ったのは。

「コルカタの人がデリーに行くとき、とても用心しながら行くんですよね。『デリーは危ないところだから気をつけなさい！』っていうふうに」

ベンガル語の恩師である丹羽京子先生は授業の合間、こんなふうによもやま話をしてくれた。そのとき私はなぜだか「超わかる」と思って先生の話にニヤついてしまった。「東京は危ないところやから気をつけるんやで！」というような、地方出身者が上京する前に親から痛いほど聞かされた、あの言葉だ。私の地元の福井から東京はおよそ五百キロしかないが、コルカタからデリーの距離はおよそ千五百キロ。深夜特急で一日かけてやっと移動できるような距離感だ。言語もベンガル語からヒンディー語へ切り替わるし、東インドから北インドにいけば、ベンガル人はマイノリティとなって、心なしか背の高い北インドの人たちがひしめき合う。事情のちがうところは多々あるが、共感できるエピソードを聞いてほっこりしてしまった。

学習者に「超甘い」ベンガル語

「ベンガル語は日本語ネイティブにとって、世界でいちばん簡単な言語です」
丹羽先生のアジテーションに乗せられて、すっかりその気になってしまった。確かに日本語とベンガル語の語順は単純なセンテンスであればほぼ同じで、言語の類型は異なれど似ているところが多い。「の」や「で」といった助詞の使い方も似ている。文字さえ最初に頑張って習得してしまえばいい。

ベンガル語の文字は最初はミミズが踊っているようにしか見えないかもしれないが、私たちも子どものころあの複雑怪奇なカタカナ・ひらがな・漢字をマスターできたのだから、子音と母音で文字の総数が四十六文字しかないベンガル語は余裕だろう（結合文字があることは学んでから気がつけばよし）！

しかも日本語の五十音はそもそもサンスクリット語の音韻体系を基に作られているので、サンスクリットが起源のベンガル語と日本語の五十音は大変よく似ている。日本語母語話者が外国語学習のときぶつかる「ジェンダーの壁」を乗り越える必要もない。「彼」と「彼女」のように三人称の性別を意識しなくても大丈夫だし、名詞が女性か男性かということに頭を悩ませなくてもいい。

余談なのだが、この性の区別がないというのはベンガル語母語話者にとって外国語習得に少なからず影響を与えるのかもしれない。ベンガル人の早口の英語を聞いていると、sheとheを区別せずに話しており、だいぶ混乱したことがある。それでもコミュニケーションは成立するのだから、外国語はトライアンドエラーすればいいということをこのときに学んだ。

さらに付け加えると、ベンガル語を学ぶ外国人は大変貴重がられるので、ベンガル語を話すだけで「オー、マー！　コタエ・バングラ・シケチョ？（わーお。どこで勉強したの？）」というふうに、大きな目をまんまるにして毎回驚いてもらえる。「甘い」という日本語には「子どもに甘い」など「厳しさがかけている様」を表現する用法があるが、外国人学習者にとってもベンガル語は「甘い」！　しゃべればしゃべるほど褒められるから、ついつい調子に乗って学習意欲が高まっていってしまうのだ。もちろん細かな発音にまで気をつける意識で学習すると本当に難しい言語だと思うのだが（綴りだけ見てもoとɔどちらの発音なのかは発音辞典を引かなければわからない）、「まずはやってみなはれ」の精神を持つベンガル人の前でベンガル語を話すと、過剰に褒められる。

甘いお菓子と甘い言葉でオネク・モジャ！

話が脱線してしまった。「甘美な言語」の伏線を回収しないといけない。ベンガル語を話していると感じることなのだが、言語の持つリズムが大変心地いい。丸っこく聞こえる音が多いからかもしれないが、ソフトな言語を話しているという実感がある。

「美しい」という形容詞は、ヒンディー語だと「スンダル」と言うのだが、その発音もベンガル語だとaがɔとなり、さらにsがshとなり、「シュンドル」となる。キキ・ブーバ効果的に考えると、「スンダル」よりも「シュンドル」の方が、より丸っこい感じがするのではないだろうか。読者のみなさんも口に出して読みたいヒンディー語・ベンガル語として、比較してもらいたい。

それから「ケナカタ（買い物）する」だとか、「カワダワ（食事）する」だとか、わざと繰り返してリズムを整える言葉もある。私が気に入っているベンガル語は、日本語だと「ぺちゃくちゃ」に相当する「ボクボク」だ。ベンガル人とおしゃべりしていると、しゃべりすぎて、口がだんだん疲れてくる。でもそれくらい話さないと、なぜだか話した気がしないし、お開きという気分にもならない。個人的に、「ぺちゃくちゃ話す」より、「ボクボク話す」方が、なんだかハードそうな響きに思える。

そして「ボクボク」話しこむためのツマミといえば、唸るほど甘いロショ・ゴッラや、ミシュティ・ドイ。そして砂糖をドバッと入れた甘いチャ。サタジット・レイはバングラデシュ独立翌年の一九七二年にバングラデシュを訪問し、スピーチで「私の血にベンガル語が流れている」という名演説をしたが、私はそれに付け加えたい。彼らの血にはついでにベンガルスイーツやお茶から摂取したお砂糖も流れていると思うのだ。甘美な言葉を話す人々と、甘いスイーツ。カワダワ（食事）しながら、ボクボク（ぺちゃくちゃ）おしゃべり。オネク・モジャ（とてもおいしい・楽しい）！

私はユネスコのような権威は一ミリも持っていないが、極東の言語を用いて、ベンガル語は「甘い言葉」であるとここに宣言しておこう。世界詩人タゴールをはじめとしたさまざまな詩人を生み、豊穣な歌の文化を育み、甘いスイーツを愛する人々。一度「甘い言葉」に胃袋と心を摑まれたら最後、止めたくても止められなくなる言語なのであった。

やさしくてしあわせな「食べさせられ放題」

「あなたに食べさせたい」

「アミ・トマケ・カワテ・チャイ（私はあなたに食べさせたい）」

こんなふうに言われることがバングラデシュやコルカタでは多かった。手を口の方に運んでご飯を手食するジェスチャーで「トゥミ・キチュ・ケエチョ？（あなたは何か食べた？）」と聞かれることもよくある。おかげ様でいまではすっかり、東京のバングラデシュ人が運営するミシュティ・ドカン（甘味屋）が大好きだし、町屋にあるベンガル料理屋「プージャー」の料理がときどき食べたくなるし、バングラデシュの国民魚であるイリシュの香りを嗅ぐと体の細胞が踊るような心地がする。東京では手に入りづらいグァバがときどき恋しくもなる。

バングラデシュに初めて渡航したのは二十二歳の春だったと思う。二十三歳だったのかもしれないが、ちょっとよく覚えていない。そこからかれこれ七年くらいはベンガル語と付かず離れずの距離感でお付き合いを続けている。七年というのは何かを継続するという意味ではそれなりの年月だ。オギャーと生まれた赤ちゃんは七年経てば小学校に入学するだろう。飽き性の私にとってすごいことだ。しかしこれがもし、あの「食べさせられ放題」の経験をしていなかったら、こんなにもベンガル語と継続して関わることができただろうか？　もちろん詩歌文化に惹かれてこの言語を学ぼうと思ったし、音楽シーンでは次から次へと面白い歌が生まれていることは、継続してベンガル語に触れようという理由になっている。しかし怠け者の私がそれだけでこの言語を継続しているとは思えない。世界には魅力的な言語があふれているからだ。

目うつりしつつもベンガル語に戻ってきてしまうのは、二十二歳くらいのときに浴びるように食べたベンガル料理のせいだろう。それくらい、この体験は飽きっぽい私の心身をベンガルという土地に引き戻そうとする強烈な洗礼だったのだ。

とまらないおもてなし

ベンガル料理食べさせられ放題チケットを手に入れたのは、学会発表のために東京にやってきたバングラデシュ人大学教授の鞄持ちボランティアのおかげだ。映画祭ボランティアで知り合ったバングラデシュ人映画監督の友人ということで、その人の日本滞在をサポートを私が担当することは、自動的に決定された。

「わかったよ」とふたつ返事で承諾したのはいいものの、鞄持ちといってもやることは際限なく、滞在延長に伴う宿泊施設の手配から、浅草観光案内、ムスリムの戒律に引っかからないレストランの選択、帰国便に無事送り込むための早朝送迎まで、何でもやる羽目になった。今思うと非常に熱心な働きぶりだ。そんな粉骨砕身が伝わったのか、その教授から「あなたをバングラデシュで歓迎しないと受けた恩を返しきれない」とメッセージが止めどなく来た。pleaseの英単語がメッセンジャーを埋め尽くす勢いだ。

「頼むから飛行機のチケットだけ予約してきてくれ、あとは全て私が手配するから、チンタ・ナイ（心配ない）」

ここで私の学生生活に、ふたつの選択肢が用意された。「バングラデシュに行くか、行かないか」だ。三日くらい悩んだ。実は、それまで海外ひとり旅をしたことがなかったからだ。そもそも大学でヒンディー語を専攻しようと思ったのも、言葉を覚えることでトラブルが減るだろうと思いついたからだ。そんな慎重派の私が渡航を決意したのも、「行けばあとは何も考えなくていいっていうから」という単純な理由だったのだ。

結果的に、今ではあのときえいやと渡航できて本当によかったと思っている。三週間くらいのちょっとしたホームステイであったが、そのとき浴びるように耳にしたベンガル語や、数々の出会いや、そして何よりも毎日腹がはち切れるまで食べたバングラデシュのベンガル料理が、人生を変えてしまったのだから。

教授の自宅には客間があり、ダッカ滞在中はそこを滞在拠点として貸してもらえることになった。目が覚めるといい匂いがした。教授が作っているわけではなく、どうやらお手伝いさんが朝早くに焼いてくれていたルティ（焼きパン）をチンしている匂いらしい。一枚一枚薄いフライパンで焼き上げられたルティは、専用の保管ケースに入れられ、遅い朝ごはんを食べる人が困らないようになっている。ふかふかになったルティを手でちぎって、それをラップパンみたいにしてディン・バジ（卵焼き）をくるんで食べるんだよと教えてもらう。見た目は素朴なパンと卵なのだが、これが予想を裏切る美味しさなのだ。長旅で疲れたお腹にも優しい。卵焼きの生地には細かく刻まれたムリ（青唐辛子）が混ぜこまれており、これが朝の覚醒を促す。卵焼きだけではなく、アル・バジ（シンプルなスパイスで炒められたジャガイモのおかず）が、ルティを大量に食べるときの味変のような役割をはたす。無限ルティ朝ごはんだ。

「オ、オネク・モジャ！（すごくおいしい）」

基礎文法レベルのベンガル語を一生懸命駆使してその感動を表現する。すると教授は、「アロ・カーオ（もっと食べろ）」というふうに、私の皿に次から次へとルティを盛ってくる。ふわふわでほんのり甘いそのパンは、飽きのこない味だから、手でちぎってはおかずたちと一緒に食べているうちに、いつの間にか三～四枚は食べてしまう。気がつけば胃袋は上限に達してしまうので、「バス、バス、バス！（もういい、もういい）」とストップのジェスチャーを皿の前で何度も繰り返さないと、その食べさせられ放題は終わらないのだ。

朝食「食べさせられ放題」の後には必ず、甘い一杯のチャ（いわゆるチャイ）をいただく。ぐらぐらに煮詰められたそのチャには惜しげもなく砂糖が入れられていて、満腹感の後の多幸感を増幅させる。そして次にやってくるのは睡眠欲だ。

「グム・パイ（眠い）」

と説明すると、教授は、

「グマオ（寝ろ）」

と言ってあっさり睡眠を容認する。食べた後に眠れる。それを誰もとがめはしない。ここは天国か、はたまた実家なのか……？　狐につままれたような心地で、あてがわれた客間のベッドにダイブして二度寝を貪った。日中はどうせ暑いから何もできない。結局寝た方が効率がいいのだ。そんな合理的判断が二度寝を後押ししてくれる。

寝起き三分で友だちに

目が覚めるともう夕方だった。日が暮れつつある時間帯こそ、お楽しみのはじまりなのだ。

「ミカー、ウトー（美佳、起きて）」

眠りからぼんやり目を覚ますと目の前には、教授の教え子と思われる学生さんふたりがいた。日本から来た客人に興味津々のようだ。私はドキドキしながら、

「アッサラームアライクム。アプナル・ナーム・キ？（こんにちは。あなたのお名前はなんですか？）」

どうみても年齢の近そうな学生に向かって、私は教科書の例文を思い出しながら挨拶をした。するとひとりの女子学生は、はにかみながら、

「アミ・シャミ。トゥミ・アマケ・『アプニ』・ボロ・ナ」

と早口で返事をした。しばらく頭の中でその言葉を繰り返し、ああ！　二人称の丁寧な

「アプニ」を使うんじゃなくて、親しみを込めた二人称の「トゥミ」を使えということか、と合点がいくと、なぜだか嬉しさがこみあげてきた。親しみを込めた二人称は、これまで会話をしてきた先生といった立場の人に使うことはなかった。そのため、「トゥミ」という甘美な響きを、今この瞬間にできた友だちに対して使うことができるのかと思って、感慨深くなった。

「アミ・シュルミ。グルテ・ジャボ（私はシュルミ。遊びに行こうよ）」

年齢のちかいシャミとシュルミと私は目覚めて三分で友だちになって、ダッカの街を散策した。教授のマンションはそもそも学園都市の中にあるから、建物を出るとそこにはさまざまな屋台が道に並んでいた。私は「エタ・キー？（これは何）」と質問攻めをした。それはペアラ（グァバ）という果物だった。その場でグァバを切ってくれるおじさんに小銭をはらい、人生で初めての果物にチャレンジする。「ビトゥロボン・ディエ・オネク・モジャ（ブラックソルトをつけるとうまいよ）」という指示にしたがって、硫黄のような匂いのするブラックソルトとともに、未知のグァバを口の中に放り込む。

「ンー!?」

食べたことのない味というのはいつだって人間に新たな知覚をもたらす。スーッと鼻に抜ける爽快な香りと、するのだかしないのだかわからない不思議な果物の味と、しっかりとした歯応えと、パンチの効いたブラックソルトは、寝汗をかいた私には効き目がありすぎた。

「オネーク・モジャ！（めっちゃうまい！）」

体がスーッとした。グァバをエネルギー源として街をほっつき歩く。道に面した本屋にはベンガル語で綴られた本たちがところ狭しと並び、地べたに座ったサリーのおばさんはキラキラとしたバングルを売りさばく。目に入るものすべてが珍しいのだ。

シャミとシュルミの「トゥミ・ショブ・ケテ・パルバ（なんでも食べていいよ〜）」の言葉を信じた私は、ピンポン玉くらいの小さな揚げパンに穴を開け、そこにジャガイモなどを入れた、日本のたこ焼きに似たフチュカと呼ばれるスナック、ただ焼いただけのピーナッツなど、ちょこまかとつまめそうな路上スナックをオーダーし、三人で回し食べをした。

もぐもぐしながら、家族のこと、日本のこと、勉強のこと、恋愛のこと、たどたどしいベンガル語を使いながら、ひとつひとつ説明しようとした。気分はすっかりマクドナルドのフライドポテトで何時間も話しこむティーンエイジャーだ。街を見渡せば、大学生たちが同じようにグループになって、座り込み、食べ、笑いながらおしゃべりに明け暮れている。周りを気にする必要も、時間を気にする必要もない。ベンガル語でうまく表現できないことがあっても、その空白は美味しくて珍しい食べ物たちが埋めてくれる。

そして、まだ食べる

夜の十時をまわって、教授の家にみんなで帰宅した。食べ歩きでそれなりにお腹は満たされていたのだが、

「アミ・『イリシュ』・カワボ（イリシュを食べさせてやる）」

という、教授の食べさせる指令が発動した。どうやら我々が外出している間に、お手伝いさんがイリシュのカレーを作ってくれたらしい。イリシュというのはベンガルを代表するニシン科の魚である。「国民魚を振る舞われる外国人」という構図は儀式のようなものだ。断るわけにはいかない。隣にいたシャミとシュルミはニンマリした。確かに私だって、外国人ゲストの案内ついでに高級寿司が食べられたらそりゃ嬉しい。

早速、平皿が食卓に並べられていく。教授が私たちの皿に白米を盛り始めた。その白米を取り囲むようにして、ダル（豆）のスープ、細かく刻まれた野菜サラダ、野菜の炒め物、そして魚を垂直にぶった切ったと思われる堂々とした切り身のまるまる入ったカレーが盛り付けられていく。主役のイリシュがお皿の上で燦然と輝く。よそわれた各々から食事をスタートするスタイルだ。私には外国人だということでスプーンやフォークを用意してくれているものの、みんなは慣れた手つきで手食を始めた。なんだかそっちの方が美味しそ

うで楽しそうだ。目の前に座る教授やシャミとシュルミの器用な仕草を見ながら、見よう見まねで白米をつかんでみるのだが、米自体は日本米とは異なりねばりけがない。パラパラと指先からこぼれ落ちてしまうからとても難しい。

「オー、マー！　ミカ、ハート・ディエ・カッチェ！（わーお！　美佳が手で食べてる！）」

ふたりはキャッキャと盛り上がる。

「アミ・シキエ・デボ（教えてあげよう）」

教授は初心者コースを担当するインストラクターのように、一挙一動を丁寧に教えてくれた。太いカタ（骨）をとりのぞき、指先でほぐしたイリシュの身とジョル（グレービー）を絡めると先程パラパラとこぼれ落ちた米は指先でつみれのような塊になった。

「エバベ（こうやってな）」

米と魚の塊を、教授は口の中にホイっと放り込んだ。そしてモグモグと咀嚼する。

「クーブ・ショホジュ（超簡単）」

教えられた食べ方に従って私も指先で塊を作る。言われた通り原理がわかれば超簡単だ。イリシュの高貴な香りとマスタードシードの独特な香りが鼻をつき抜け、魚そのもののもつ濃厚なうまみが口の中いっぱいに広がる。

「クーブ・モジャ……（超おいしい……）」

思わずため息がこぼれた。バングラデシュで魚の王様と言われるのも納得できる。これはなんというか、カニを貪り食べるときの恍惚感とどこか似ているのだ。興奮する私を「チーム・バングラデシュ」が「しめた」と言わんばかりに笑顔いっぱいで見つめる。イリシュのおかげかみんなは白米をどんどんおかわりし、「イリシュカレーの宴」は瞬く間に大団円を迎えた。シメのチャを一杯すすりながら、日本で生まれ育ったお腹がパンパンになったのを撫でる。もう、動けない！　幸福な腹を抱えたまま、私はゴザに横たわった。

しあわせな日々、縁のはじまり

よく食べ、よく眠り、よく遊ぶお祭りのような日々がダッカ滞在中続いていった。毎日、時間のある学生の友だちが私のそばにいてくれて、むしろひとりになりたいときもあった。あまりにもハイテンションすぎたのか、途中で見事に体調を崩し看病してもらったこともある。そんなときに食べさせてくれたスパイス抜きのキチュリ（豆と米のおかゆ）の味は、小さいころ風邪をひいたときに親が食べさせてくれたおかゆのようだった。「トゥミ（きみ）」という親しみを込めた二人称を使いあう人々のふところに甘えるうちに、気がつくと帰国の時間が迫ってきた。別れ際、私は日本に戻るのがあまりにも寂しくなって、泣いた。みんなでご飯を食べる日々があまりにも楽しくて幸せだったからだ。

「チンタ・コロ・ナー。アバル・エショ（心配しないでー。また来なよ）」

日本での大学生活はサークルにもろくに顔を出さず、やることといえば本を読むかアルバイトをするかだった。そういえばこんなふうに友だちと四六時中一緒にいて、無為に時間を過ごすことはなかったと、ふと思った。本当はそうしたかったのかもしれない。

バングラデシュの人々の人懐っこさにまみれながらバングラデシュのご飯を食べさせられた日々は、私の心身に深く刻みこまれ、切っても切れない縁を作り始めた。こうしてバングラデシュを離れて生活していても、ときどきふと、あのとき食べた味が無性に懐かしくなって、バングラデシュの料理をフラフラと食べにいってしまう。多感な時期に刻み込まれた味というのは抗いようもなく、ときにひとりの人間の運命を方向づけてしまうのだ。

チケット・トゥ・リクシャライド

右、左、まっすぐ、ゆっくり、もういい

「ミカさーん。今度バングラデシュに行くんだけど！　どのベンガル語覚えて行けばいい？」

コロナが猛威を振るう前、神田でバングラデシュ料理屋を営むシェフのヒロタさんから突然質問された。前職の職場ちかくにあったヒロタさんの店に当時の私は通っていた。料理の修業でバングラデシュに渡航するらしい。なんと変わった日本人がいるものだと感心しながら、私はバングラデシュでの滞在経験を思い出していた。

「そうですね……私がアドバイスするとしたら『右、左、まっすぐ、ゆっくり、もういい』を覚えてください、ということですね」

我ながらトンチンカンなアドバイスである。しかし、バングラデシュ旅行の楽しみといえば「リクシャ」に乗ることであり、乗ったらこの言葉を使ってみたくなるに決まってい

るのだ！

旅の醍醐味というのは人それぞれだろう。私にとってのそれは「乗り物に乗ること」だ。見慣れた街並みを離れ、異国の風景に身をひたすことで、普段は考えも及ばない人生のあれこれに思いをめぐらせることができる。旅先で感じる風や、普段出会わない人々からの刺激を受け、自らが新しく蘇るような感覚を、乗り物に乗っていると得ることができる。

さまざまな思いを抱えた旅人は、旅の始まり、飛行機の窓を見つめる。蛇行する川と緑の大地が一面に広がるベンガル地方の風景に、旅人であるあなたは胸を躍らせるだろう。バングラデシュの玄関をくぐると、慣れない街と人々の熱気に囲まれ、日本では経験したことのないような衝撃を覚える。異国の強烈な歓待の興奮が冷めやらぬ中、旅人は事前に手配したホテルのタクシーに乗り込む。クラクションの喧騒とじんわりとまとわりつくようなダッカ特有の湿気を感じながら、これから出会う土地と人々に思いをめぐらせる……といった具合に、「移動」という装置には物語を推進させる力があり、実に映画的である。

右記の文体で物語を書き進めれば、二十一世紀版『深い河―そしてベンガル湾へ』が誕生し、ベンガルの大地でさまざまな運命が交錯する小説がベストセラーになるかもしれない。

しかし私がこの文章を書く目的は、そこではない。「リクシャ」という乗り物の、トリックスター的な側面、物語をぶった切って、思わぬ方向にあなたを導く可能性があるという「乗り物」らしからぬ不確実性に、焦点を当てたいのだ。言い換えると、前述のような甘美な時間を「リクシャ」がもたらしてくれるものではないということを、あらかじめ読者のみなさまに警告しておく。

情け無用の交渉術

さて、リクシャ、リクシャと繰り返しているが、それは一体どういう乗り物なのだろうか。勘の良い方々ならその音の響きを聞いて「人力車」を思い浮かべるかもしれない。間違っていない。リクシャとは明治期にアジア諸国に輸出された日本の人力車がローカライズされた乗り物である。日本において人力車は観光地でしか乗ることのできない乗り物だが、バングラデシュの首都ダッカ市内の、毛細血管のような道路を縦横無尽に走るリクシャは、市民の大切な移動手段だ。交通渋滞の多いダッカ市内で目的地にたどり着くためには、小回りの利くリクシャは庶民の足として重宝され、比較的近場を移動する場合でも多用される。

初めてリクシャに乗ったのは、学生時代のショートステイだった。大学教授の家にホームステイした私を、教え子の女子学生たちがつきっきりになって世話してくれた。同年代のふたりはダッカ大学の学生で、普段みんなで遊ぶ場所や、ちょっとした観光地に私を連日案内してくれた。そのときに彼女たちが移動手段として主に利用していたのが、リクシャだった。

日本のタクシーであれば料金メーターが作動するため、安心安全である。しかし、リクシャにメーターなどない。運転するのは屈強なおじさんたち。料金はおじさんの言い値で交渉がスタートし、ときには相場より高い値段を吹っかけられることもある。可憐な女子学生たちは相場から少しでも高い値段を提示されると、

「ふざけるな！　ここから近い距離なのに、そんな値段のはずがない。あんたのリクシャ乗るわけない！　別の人探すからどっか行って」

超強気の態度で相手を一旦振り払い、別のリクシャのおじさんに交渉を始める。交渉を始めていると、先程の高値を言い放ったおじさんが追いかけてきて、

「わかった。あんたらの言い値で乗せてやるよ」

という具合に、突然値段が下がるのである。突然しおらしくなったおじさんに媚びることもなく、「仕方ねえ、乗ってやるか」と言わんばかりの女王のような足並みで、堂々と乗車し、交渉成立。同年代の女子学生が、そのような特殊な交渉術を身につけていることに私は驚愕した。自分が同じ立場で交渉するとなったら、きっと言い値で乗ってしまうだ

ろう。この国を生きるためには、黙っていてはいけない。主張することが必要なのだと身をもって感じた瞬間だった。

黄金のベンガルをリクシャで爆走

さあ、いよいよリクシャに乗車できた！　あとはダッカ市内の風を感じながら、異国の風景を楽しむ時間が始まる……と思いきや、そうは問屋が卸さない。まずはバングラデシュ人女子学生ふたりと、私。どう見てもふたり乗りの座席。三人目がどこに座ればいいのかまず戸惑いを覚える。「私らの間に座ればいいんだよ〜」と気楽にアドバイスされるものの、座席はすでにぎゅうぎゅうである。私は座敷童の如くふたりの間のわずかなすきまにチョコンとお尻をおろした。「えっと、足はどこに？」ベンガル語で必死さをアピールすると、「ここに置けばいいんだよ〜」と、座席部とリクシャ漕ぎのおじさんのサドルの付け根にある金具の出っ張りを指さされ、「どうにでもなれ……！」、意を決してそこに足を置くのである。こんな体勢で、乗り物に乗ったことがない。異国の風を感じて物思いに耽る余裕がすでにない。

小さいころから車に乗車したらシートベルトをするようにと口酸っぱく言われ続けた私の、シートベルトのないリクシャライドがスタートした。私たちを乗せたリクシャは、ダッカ大学を抜けて、南方の、オールドダッカと呼ばれる旧市街を目指す。主要な道路は車とリクシャでごった返し、車もリクシャもお互いの存在を誇示しあうようにクラクションを鳴らしまくる。その間のなんともいえない時間を、セルフィーを撮りまくりながら、和気あいあいと過ごすのがバングラ流。ときに車同士がぶつかったり、リクシャ乗り同士が言い争ったりしているが、そんなことは関係ない。ダッカっ子ならば、今この瞬間、友とリクシャに乗っているという時間を精一杯満喫すべし！

さあ、楽しい時間を過ごしながら渋滞を抜け細い小道にいよいよ入る。リクシャのおじさんはボーナスタイムと言わんばかりに、渋滞の時間を取り戻すかのような勢いでリクシャを加速させる。しかし小道に入れば入るほど、未舗装の道路が続く。でこぼこした道路でリクシャのおじさんは、容赦無くスピードを上げ続ける。その度に座席がゴンゴン揺れ、シートベルトのないジェットコースターに乗車しているような気分が味わえる。物思いもへったくれもない。縦揺れだけでなく横揺れも加わり、スピードと揺れの予測不可能な乗り心地に五感は刺激されつづける。混乱の中感じることといえば、「お尻が痛い」とか、「無事に下車したい」とか、至極シンプルなことであった。

生きた心地のしなかったリクシャ移動が無事終わり、目的地に到着してリクシャから降りることができた。その後も小回りの利く移動は全てリクシャに乗ったから、段々と恐怖心が薄れていき、三人乗りでも安心して身を任せることができるようになった。果敢にリクシャの交渉をする女子学生に憧れ、私もいつかこの街でリクシャを乗りこなしてみたいと思うようになった。案外そのチャンスはすぐに訪れる。映画の撮影でこのリクシャという乗り物には何度もお世話になったから、おかげさまで私は価格交渉のスキルを手に入れた！　以下、自分でリクシャ乗りの交渉をした体験談を記述しておく。バングラデシュ渡航をする際、役に立つかもしれないのだから。

・リクシャのおじさんたちと価格交渉で困ったときどうするか

言われた額がどうも高すぎるな……と感じるときは、おそらく外国人価格になっている可能性がある。近くにいるバングラデシュ人に恥ずかしがらず"Excuse me"と言うべし。行き先と言われた値段を第三者に相談し、適正価格を教えてもらおう。間に入ってもらえそうな第三者が英語を知っている場合は、ベンガル語がわからなくても大丈夫。外国人価格になっていた場合、適正価格を知っている第三者が果敢に値段交渉を代行してくれるはず。そのうち物珍しさにやんややんやと人だかりができ、ソーシャルプレッシャーからリクシャのおじさんは適正価格にせざるを得なくなってしまう。女子学生の価格交渉術でもわかるように、価格交渉の際、少しでもおかしいと感じたら妥協してはならない。複数のリクシャ乗りが待機していることもあるので、値段を聞いて回ることも有効な手段である。

●下車時に支払額で揉めたときどうするか

これは失敗談なのだが、乗車前に価格交渉をしなかったことが一度だけある。撮影のために、「ちょっとこの辺りを一周して欲しいです」というざっくりした交渉をしてしまったからだ。「オーケーマダム」と愛想のいいお兄ちゃんに油断し、短時間だから外国人価格になったとしても百タカ（バングラデシュの通貨単位は「タカ」。二〇二二年十一月のレートでは、一タカ一・四五円程度）くらいだろうと高を括っていたのが駄目だった。下車時、五百タカを請求されてしまい、「高すぎる」と言っても「これだけ運転して、渋滞もあって、想像以上に時間がかかってしまった！」と反論されてしまえば勝ち目がない。これ以上言い合うと争いに発展しそうな険悪なムードだ。

私にとっては勉強代で、かつこのお兄ちゃんのボーナスになるに違いないなどと、いろいろ自分を納得させる理由を心の中で考えて、渋々五百タカを支払った。五百タカあれば、短距離のリクシャに十五〜二十回くらい乗れたはずなのに。この失敗から学んだことは、価格交渉は事前に行うべしという至極真っ当なことだ。これはフリーランス生活のスキルにも通じている。価格交渉は、事前に行うべし。

ひとりで乗れるもん

成功と失敗を繰り返す中で、私にはいよいよひとりでリクシャに乗るという最終ラウンドが待ち受けていた。仲の良いご家族の家に向かうというミッション。何度も訪問したことがあるから、道はほぼ覚えているし、リクシャを使うのに適している距離である。危険を感じる雰囲気の道程ではないし、午前中の良いタイミングである。何かおかしいと感じたら、途中で降りて歩くこともできる。外国人女性ひとりでリクシャに乗るとしたら今しかない。身につけた全ての技術を今ここで試すときが来た……と、自動車免許の最終試験のような心持ちで私は「ヘイ、リクシャー！」と道路に駆け寄り大きく手をあげた。すると、

「どこに行く？」

渋めのリクシャのおじさんが声をかけてきた。

「ダンモンディまでお願いします！」

「……五十タカ」

今はこれが相場かどうかなど気にしている暇はない。五十タカで乗ることにした。

その日はちょうど休日で、いつもは渋滞する道も広々とした感じで、おじさんも心なしか漕ぎやすそうな雰囲気だった。暑くもなく寒くもない快適な朝のダッカの風を感じる。

「まっすぐ進んでください」

言ってみたかった言葉を私は発する。言わなくてもこの道はまっすぐなので、とにかくまっすぐ進んでくれている。安心だ。

「右に曲がってください」

次の道路が見えてきたタイミングで、適切な指示出しをする。するとおじさんは、首を振るではないか。なぜ言葉が通じないのだ……頭を抱えていると、ふと気がつく。目の前の道路はリクシャが一台も走っていない。自動車やバイク専用の道路をリクシャが走行することはできないから、ここで降りるしかないのだ。

「もういいです……」

目的地まで辿り着いたときに発したかった言葉は、失意の言葉と変わる。道半ばなのに五十タカは高すぎるよおじさん……しかし言い返すよりも五十タカ支払う方がよさそうな雰囲気だったので、抵抗せず五十タカ支払う。おじさんはお金を確かに受け取ると、次の仕事のために颯爽と消えていった。

しょぼくれながら私は歩道橋を使って目の前の憎らしい道路を横断し、次の道へと入った。すると再びリクシャが現れるではないか！　ここで徒歩という逃げの選択肢は存在しない。なんとしてでも目的地にリクシャで辿り着いてみたかった私は、果敢に再チャレンジを申し込む。成功するまで執拗にやり続けるのだ。「ヘイ、リクシャー！」

今度は若くて寡黙そうな運転手のお兄さんだった。住所のメモを運転手に見せると「OK、三十タカ」という良心的な価格にホッと胸を撫で下ろし、乗車を決意する。事前にピンを落としておいたGoogleマップとにらめっこしながら左折ポイントの目星をつけていたので、「左に曲がってください」も適切なタイミングで指示出し成功。主要道路から住宅街に入ることができた。

しかしここでもう一度トラブル発生。住宅街はコレといった特徴的な目印がないため、右折か左折か全く分からない。Googleマップのピンも大体で設定していたので、頼りにならない。若い漕ぎ手は速度が速いので尚更こまる。「ゆっくり進んでください」と指示しながら、とりあえず心当たりを「右に」「左に」と繰り返しているうちに、もはやどこにいるのだか分からなくなってきた。ちなみに私は重度の方向音痴ではないが、軽度のそれではある。ここは自分を信用せず、潔く、「もういいです！」と下車することにした。お兄さんに三十タカ支払って、どこだか分からない住宅街に降ろしてもらう。さて。あとはもう人にたよるしかない。私はお待たせしているであろうご家族さんの家に電話し、「多分近くにいるんだけど、道に迷いました」と白状した。「誰か近くに人はいない？　その人と変わって」という指示に従い、道をぷらぷらと歩いている近所のおじさんに「エクスキューズミー、この電話を聞いてくれますか？」とレスキューを求める。電話越しで何やら話し合いが行われたあと、見ず知らずのおじさんは、「ここで待っていればOK」と言い、スマホを返してくれた。すると数分後、「ミカさーん」と大きく手を振りながら、知り合いが迎えにきてくれた。目的地にたどりつければなんでもいい。ひとりでリクシャに乗れたこと。言語学習とともに、少しずつ自分のできることが増えていくことこそが、嬉しいのだ。

成功とはいえないこの日の小さな冒険はそれでも、自分史のなかで「リクシャにひとりで乗れた日」として燦然と輝いている。初っ端からひとりリクシャは全くお勧めできないのだが、バングラデシュを旅行する機会があれば、是非とも同伴者を見つけてリクシャに乗っていただきたい。「右、左、まっすぐ、もういい」はすぐには使わないとしても、スピード出しすぎに「ゆっくり！」とベンガル語でコミュニケーションすることは可能なのだから！

永遠のタンデムパートナー

「二頭立ての馬車」、珍走

tandemというスマートフォンアプリをご存じだろうか。語学学習を目的とした言語交換のアプリである。ウィキペディアにおけるtandemの記述を見るとこう書かれている。

「言語交換、あるいはタンデムにおいては、ペアとなる二名それぞれが、パートナーが学習中の言語を母国語として話すことを前提に行われる。各自が目標の言語を学べるよう、各言語での会話をそれぞれ平等に行うというものである」

——Wikipedia「Tandem」

そのアプリに手を伸ばしたとき、私には英語で話さなければならない仕事がひとつあった。これなら無料でスピーキングスキルが高められる！　と、藁にもすがる思いでアプリをインストールし、mikaという名前で登録した。

始めたはいいが、誰だかもわからない他人に私のプロフィールを一から説明するのは面倒だった。見ず知らずの人に一から「ハイ」とメッセージを打って友だちになるというのも、初対面の人と口頭で会話すると汗が流れてくる私には参入障壁が非常に高い。結局、人生の中で話し慣れているインド人に「こんにちは」とメッセージを送っている自分がいた。世界中の人と言語交換できるアプリなのに、なぜかインド人と会話をしてしまうジレンマ。

「ドキュメンタリー映画を作っていて、ベンガル語を学んでいて、タゴール・ソングの映画を作った」

我ながら、わけのわからないプロフィールである。見ず知らずのインド人アビシェーク氏に説明し始めると、画面の向こうにいるはずの彼は「ま・じ・か」と、もはやドッキリ企画並みに驚いている。ブッダガヤに住むというその青年に親しみを覚えたから、清水の舞台から飛び降りる気持ちで「電話してもいいですか」と依頼した。とにかく英語を話しておきたかった。なぜなら私は一週間後、英語でレクチャーをしなければならないからだ！　コロナの引きこもり生活でなまりになまった言語感覚を復活させなければ。

冷や汗を流しながらメッセージを打つ私とはうらはらに、アビシェーク氏は即答でもちろんOKだよと電話を了承してくれた。タゴール・ソングの歌詞の内容を英語で解説してタンデム学習を行った。会話の最後、アビシェーク氏は、

「君の仕事がうまくいくことを祈っている」

と、私の背中を押してくれた。こんなコロナの時代にも、良心に出会うことがあるのだな。良いタンデムパートナーに出会ったなあという気持ちになった。


英語を使う仕事がいち段落したあと、tandemのアプリはあまり使わなくなってしまった。そのうち、少しいたずら心が芽生えた。AI加工アプリで自撮り写真の髪をロングにし、化粧を施した。個人情報保護は完璧だし、なんだか見栄えがいい私になった。するとメッセージ量が数倍に増えた。これだけでメッセージがたくさん来るのかと呆れた。少し馬鹿馬鹿しくなり、アプリから一旦離れることにした。

言語交換するパートナーを見つけるというのが、これほど難しい作業であるということを私は知らなかった。tandemというのは二頭が縦並びになった馬車のことを指す言葉だったらしい。tandem cycleといえばふたり乗りの自転車のことだ。いずれにせよ、生き物ひとりだけではその乗り物は動かない。ふたりが協力しなければ、言語学習も成り立たない。

継続的なタンデムパートナーを見つけるのは、お互いの語学学習に対するモチベーションがなければ難しい。レッスンであればお金を払うことで、その分は取り返してやろうというモチベーションが生まれる。しかしタンデムパートナーは無料。いつでもふたり乗りの自転車から降りることができる。ましてや直接会ったこともない他人、ふたりを縛るものは何もない。

人間関係の諸行無常を感じながら、私はベンガル人の大切な友人、スディップのことを思い出した。彼こそが、永遠のタンデムパートナーなのだ。

「パゴル」になりそう

「久しぶり。時間のあるときに話したいことがある」

かれこれ五年くらい付き合いのあるベンガル人、スディップから珍しい連絡があった。当時スディップは日本語の言語学を研究する学生で、インド・シャンティニケトンで博士論文を提出し、その受理を待っていた。コロナウイルスが地球上に蔓延してからはや一年、インドとの往来がいつ元通りになるかわからないタイミングでの連絡だった。

スディップからの久々のメッセージにはどこか緊急性を感じたから、私はすぐに「わかった、今夜連絡する」と返事をした。仕事を終わらせた夜、恐る恐るスディップに電話をかけた。

「コロナのせいで、頭がおかしくなりそうなんだ」

何事……？　と思いながらその続きの言葉を聞く。

「大学も始まらない。将来の計画も立てられない。おまけに仕事もない。コロナのせいでコルカタに行くことも難しい。わかるミカ……この感じ？」

「ああ、つまり『パゴル』になっちゃいそうってこと？」

パゴルとはベンガル語で「おかしな人」の意味だ。

「そうそう！　理解してくれてありがとう。で、僕は正気を保ちたいし、これ以上時間を無駄にしたくないんだ……だから日本の文学の翻訳を始めようと思っている」

タゴールの創った学園で学問を修める人は発想が違うのだろうか。正気を保つために文学の翻訳を行うとは。スディップの家族に何かあったとか、学費が尽きたとか、もっと深刻な相談をされるのかと思っていたから、気が抜けた感じは否めないが、この空白期間を有意義に使おうとする彼の前向きさに私は心を動かされた。

「すばらしいね！　私にできることがあったらなんでも言ってね」

数日後、短編小説の翻訳途中でわからないところがあるんだけれど、とスディップからメッセージが入り、以下の文章が届いた。

その鈴の傍(そば)に八幡宮と云う額が懸っている。八の字が、鳩が二羽向いあったような書体にできているのが面白い。そのほかにもいろいろの額がある。たいていは家中のものの射抜いた金的を、射抜いたものの名前に添えたのが多い。たまには太刀を納めたのもある。

夏目漱石「夢十夜」新潮文庫

「この文章、言葉の意味も、状況もよくわからない」
「なるほど……」
八幡宮という額も、鳩が二羽向いたような書体も、金的も、私にはすぐにイメージが湧くものではなかった。夫の無事を祈る母子が御百度参りした際の風景描写なのだが、翻訳するにあたってこれらの単語はベンガル語で相当するものがあるのだろうか。何からアドバイスしていいか正直わからない。私の映像編集仕事の納期直前に質問がきたということもあって、『夢十夜』の一夜分の夢すら熟読しようともせず、単語の意味をGoogle検索でとにかく調べた。「八幡宮の額ってこんな感じじゃない⁉」とか、「金的はきっとこれ」というふうに、ヒットした画像をスディップに送り返した。私の敬愛する須賀敦子先生に聞かれたら幻滅されてしまう。「なるほど、ありがとう!」と彼からメッセージが届くが、こんな雑な対応でよいのだろうか……と若干の後ろめたさを感じた。

学び舎へのエクストリーム・ジャーニー

スディップと出会ったのは、彼が研究生活を過ごしているシャンティニケトンだった。タゴールが一九〇一年からこの地に学園を創り、初等教育から高等教育までが同じ敷地で行われている。私は初作品であるドキュメンタリー映画『タゴール・ソングス』でどうしてもこの学園を取材したかった。教師と子どもたちが菩提樹の木の下で歌を学んでいる写真がとても素敵だったからだ。

何かとっかかりを見つけなくてはという思いから、インドに縁がある知り合いにどうしたらいいかと色々聞き回っているうちに、彼の名前を何度も耳にした。「日本語がすごくできるスディップという学生さんがいるから、連絡してみたらいいよ」という複数人からのアドバイスのもと、私は彼に連絡を取った。「タゴール・ソングのことを取材するのは素晴らしいですね。是非、僕に協力させてください」礼儀正しい日本語で送られてきたメッセージの返事として、私はシャンティニケトンへの到着日時を伝えた。

シャンティニケトンまでの道のりは、それなりに果てしない。パッケージングされた海外旅行では味わえないような面倒さがそこにつきまとう。一例として、私がたどった経路を以下に記しておく。

- 十一月一日 十七時二十分から二十二時 成田−バンコク
- トランジットのために空港で時間を潰します。
- 十一月二日 五時から六時 バンコク−コルカタ
- プリペイド式のタクシーで空港から市中に移動しましょう。黄色いタクシーがずらっと並んでいます。野良タクシーはやめておきましょう。
- コルカタに到着したら市中で一泊くらいして体を休めましょう。
- シャンティニケトンエクスプレスの乗車チケットは、ホテルの受付に交渉して取ってもらうとか、地元の旅行代理店に頼むとか、知り合いのインド人にお願いするとか、ハウラー駅の窓口に行ってみてゲットするとか、なんとかしてみましょう。

- 十一月三日 旅行日程が決まったら、早朝に起床し、十時発のシャンティニケトンエクスプレスに間に合うようにハウラー駅に移動しましょう。
- 駅は迷いやすいので時間に余裕を持って到着しましょう。どれがシャンティニケトンエクスプレスかは案内が不十分なので、近くのインド人に質問して探しましょう。
- 二時間程度の鉄道旅行を満喫しましょう。停車駅のアナウンスはありませんが、あなたも乗っているエアコン付きの車両の乗客は、ほとんどシャンティニケトンを目指しています。心配なら近くのインド人にいつ到着するか質問してみましょう。
- みんながソワソワ降りる準備をしはじめるのに乗じて、あなたも降りる準備をはじめましょう。人の波に乗ってボルプル駅で降りましょう。
- ボルプル駅で降りたら「トト」と呼ばれる電動オートリクシャに乗って、あなたの予約したホステルに向かいましょう。
- ホステルで荷解きしたら、とりあえず今日は近所を散歩してよく寝ましょう。翌日、タゴールの学園に移動しましょう。
- 十一月四日 シャンティニケトンを散策しましょう！

私は旅行会社で働いたこともない素人なので、右記の日程はあくまでも参考程度に読んでいただきたい。イメージしながら、我ながらなかなか骨の折れる旅路だと思った。ここまでの日程をひとりでこなすのは正直心が折れる。私の場合はスディップ氏とボルプル駅で落ち合って、それから目的地を目指した。

メガネをかけたスディップ氏は文学青年らしい雰囲気だった。奥ゆかしい微笑みを浮かべながら、長旅大変だったでしょうと、気遣ってくれた。電動オートリクシャに乗りながら簡単にお互い自己紹介をする。

「日本語のオノマトペを研究しています」

と彼は自分の研究分野について端的に説明した。日本語のオノマトペを研究しているベンガル人がいる！　驚いた私は、

「なぜ日本語のオノマトペを研究しているの!?」

と質問した。

「ベンガル語にもオノマトペって沢山あるんですよ。例えば水の流れは日本語でなんと言う？」

「『サラサラ』かな」

「そう、日本語では『サラサラ』でも、ベンガル語にもこの水の流れのオノマトペが存在

する。それは『コルコル』という言葉」

「へえ！　面白いですね。つまり、あなたの研究では、日本語とベンガル語のオノマトペを比較しているということ？」

「まあざっくり言うとそんな感じ。それは永遠に尽きることのない興味関心です。だから僕は研究しています」

不思議な人もいるものだ……。こんなふうに、タゴール・ソングの映画を作ろうとしていた私はオノマトペを研究しているスディップ氏と邂逅を果たした。

シャンティニケトンは、広大な敷地に穏やかな空気がただよう、まさに学園都市という雰囲気。それもそのはず、シャンティニケトンはベンガル語で「平和の住処」という意味なのだ。タゴールの父親が瞑想するのに気に入ったこのエリアは、学園都市を一歩出れば広大な荒野が広がっている。開校時代からの教育方針として、詰め込み教育ではなく、個々人の個性を育てるような自由な教育がベースとなっている。この学園で大きくなる子どもたちは、タゴールの歌を歌い、タゴールの劇を演じ、工芸に触れながら育つ。

それぞれの興味関心を思う存分伸ばすことができるからだろうか。この学び舎からは、ベンガル映画の巨匠サタジット・レイや、ノーベル経済学賞を受賞したアマルティヤ・センが輩出されている。そのように独創的な教育環境で育ったスディップは、生涯の研究テーマとして、日本語のオノマトペを選んだ。

スディップの誠実な水先案内も虚しく、さまざまな事情でシャンティニケトンでの撮影は難しくなってしまった。「また助けられることがあったら連絡して」と言ってくれるものだからすぐに、「映画の翻訳を一緒にしてほしい！」と彼を共同翻訳者としてスカウトした。

シャンティニケトンの暗い夜

撮影から帰国して映画の編集が始まると、私はタゴール・ソングの翻訳と格闘しなければならなかった。映像素材の下訳はできる限り私がやって、難しいパートは彼にお願いする。これは当時の私にとってはなかなかチャレンジングなことで、ひとりで翻訳しているとちんぷんかんぷんなことが多かった。詩の翻訳は言語学習の醍醐味なのだが、同時に、途方もなく難しい作業だ。そんなときはスディップに逐一連絡して、「ここの意味はどういうこと？」と質問をする。

「『満月の夜　人々は皆行ってしまった　森の方へと』って、この歌は言っているけど。満月の夜、なんで森へ行くのかな」

「ハハ、ミカは面白いことを質問するね。なんと説明したらいいかな……例えば、シャンティニケトンを思い出してほしい。日本は夜も明るいでしょ？　でも、シャンティニケトンは田舎だから、夜は暗くなって歩くのが大変だったと思う。それを思い出してほしい！」

「ああ、そうか！　いつもは暗いけど、満月の夜は明るそうだね。そしたらみんな、ウキウキしちゃって外に出たくなるかも。その続きの詩は『春の甘い風に吹かれて』と言っているけれど、天候が良くお月様も出ていたら、外に出て行きたくなっちゃうのかな。そういうこと？」

　こんな調子で、意味がわからないと思うことをひとつずつ彼に質問して、タゴール・ソングを翻訳する。できあがった歌の訳はこんな感じである。

満月の夜　人々は皆行ってしまった　森の方へと
春の甘い風に吹かれて
でも私はついていかない
家で静かに待っていよう

春の甘い風が吹いても
家を美しく整えて
いつ来るかわからないあなたを
眠らず待ち続けよう
私を覚えてくれているなら
春の甘い風が吹く夜に

タゴール・ソング「Aj Jyotsnarate Sobai」

「で……、なんでこの人はみんなについていかないの？　待ってる『あなた』って誰なの？」

しつこい子どものように質問を繰り返す。

「タゴール氏の頭の中は、我々よりもはるかに複雑だからね……あまりにも深くて、一般人には理解できないこともある。ミカは、この歌のあなたは誰を待っていると思う？」

スディップはワケありの雰囲気を醸し出す。

「そうだね、例えば、大切な人のことかな？　でも、待っていてもいつ来るかわからないんでしょ」

「そう、だから『あなた』とは、もしかしたら永遠に姿を現すことのない神さまかもしれないね。家を整えるのも、神さまのためかもしれない。タゴールの詩はいろいろなふうに解釈できるというのも、面白いよね」

確かにこの歌は、恋人を待つ人の歌かもしれないし、神を待つ人の歌とも読める。読む人の心に合わせて、タゴール・ソングは形を変える。

タゴール・ソングの翻訳を誰かとともに行うということは、相手の心の形を知っていく行為でもあった。翻訳を通じてやりとりしているうちに、ふたりの距離は少しずつ縮まることもあったが、研究のために来日していた彼はそのうち帰国し、私たちのやりとりは次第に減っていった。そうしているうちにコロナが流行りだし、私は彼からの突然の連絡を受け取った。最初は驚いたが、コロナの中でも時間を有効に使おうとする前向きな姿勢に、むしろこちらが随分と励まされた。

「永遠的」な約束

コロナが始まってから相談を受けた彼の翻訳プロジェクトは着実に実を結び、つい先日、

facebookの投稿で翻訳集が出版されたことを知った。「先生だなんて言われて、ファンが沢山できたらどうする！　サインを求められるかも」私たちの言語学習にはユーモアが混じりあう。こんなご時世、笑いあっていないとやっていけない。先が見えない私たちの将来を嘆くのではなく、お互いがお互いを褒めちぎって、高めあう。そうやって士気を保ちあう私たちは、日本語とベンガル語を交換しあう「永遠のタンデムパートナー」なのだ。「永遠の恋人」という日本語よりも、確実性のありそうな何かだ。

私たちが交わした「『永遠的』につながっていられる関係でいられたら嬉しい」という約束を、タンデムパートナーという形であればきっと守ることができる。怠惰で飽き性な言語学習者である私をつなぎ止めるのは、こうした約束なのだ。

この原稿を書くにあたって、夏目漱石の『夢十夜』を読んでみた。一夜ごとに幻想的な夢が広がっている。夢の中では時空が歪み、「私」はさまざまな夢を見る。夢の中ではどこにでも旅ができるし、何にでもなれる。ベンガル語で翻訳されたそれは、ベンガル人の夢にどのような影響を及ぼすのだろうか。今は、日本との自由な行き来が難しいベンガル人読者の夢に、日本が現れるかもしれない。その夢に導かれるようにして、コロナ後、日本を旅する夢を抱くひとりの若いベンガル人読者を私は想像する。

彼の奮闘を受けて、私も何か翻訳がしたくなった。『タゴール・ソングス』を制作していたときは怒涛の勢いで翻訳に取り組んでいたものの、今はなんとなくその熱が薄れてしまっている。しかし、言語は使わないと鈍る。といっても何から始めようか。ああ、仕事の締め切りがやってくる！　また明日考えよう……。映画制作と言語学習、このふたつが重なりあうことがあるのか心許ないこともある。しかしタンデム自転車から降りることはしないだろう。「『永遠的』な約束」を私は守りたい。亀の速度の学習者として、兎にも角にも学びを続けていこう。言語学習は継続がいちばんの近道。醜態を晒しながら、少しずつ学んでいけばいいのだ。

言語の迷宮から映画の森へ

「ホエ・ジャエ（なるようになるさ）」と言えなくて

言語学習者にありがちな挫折ポイントは、文法を一通り叩き込んで、いざ実践しようと思うタイミングだろうか。外国語がただの音声の集まりとして襲いかかってくるフェーズがある。あの単語も、あの文法も、テキストに載っていることは大体覚えたはずなのに、いざネイティブ話者の会話の波に呑まれたときに、教科書で何度も聞いたあの例文たちが全く役に立たないと気がつくのである。単語集で覚えた単語が断片的に聞こえてくるだけで、会話全体は何を言っているかわからない。目が点になって、話をわかっているふりをしながらその場ににこにこ座っていることしかできない。

このようなつまずきポイントは、外国語学習の天才レベルの人なら、ぶつからない壁なのかもしれない。我が母校である東京外国語大学には天才的なその手の素養を持つ人がいたように思う。しかし私はそうではなかった。かつての私はそういう人と自分を比較してしまい、見事にこの壁にぶち当たったのだ。「何にも聞き取れない、言いたいことが言えない」と頭を抱えてしまった。真面目に言語と向き合うがゆえに半ばノイローゼ状態になったのだ。私には話したいことや伝えたいことがあって、例えば日本とインドの政治状況の比較など、何か抽象度の高いトピックについて、インド人たちと議論をしているはずであったのに、手元には「私はお腹が空きました」だとか「私はこの本を買いました」だとか、基本的な生活のあれこれを表現する単語しかないのである。

ある程度図太くなって経験もそれなりに豊かになった今の私が大学生のときの私に言葉をかけてあげるのなら、「ホエ・ジャエ（まあそのうちなるようになるよ）」だと思う。ベンガル人が、何か困難やむずかしいことにでくわしたときに、肩の力を抜きながらふっとつぶやく魔法の言葉だ。「シャンティニケトンかコルカタかダッカで一年くらい生活してたら聞き取れるようになるよ」と励ましてあげたい。だけど生真面目だった当時の私は深刻になってしまった。簡単にいうと挫折みたいなものだろう。

頭の中にある表現したい日本語を、外国語として組み立てて発話できないもどかしさは身に応えるものがあった。たくさんの言葉がぐるぐると自分の身体に溜まって、腐っていくみたいな感じ。そのような感情を友人と共有するには当時の私はプライドが高すぎたし、そもそもどのようにこの体験を言葉で表現していいのかもわからなかった。体を動かすような趣味もなく、楽器を弾くなど別の発散方法もなかったから、どうしようもなかった。

そこで当時の私がとった行動は、授業やアルバイトのあいまに映画館に行くことだった。ミニシアターでは世界のさまざまな言語の映画が上映されている。最初はデートか何かで誘われて行くことが多かった。そのうちに各映画館のスケジュールを把握しはじめ、自分の意志で訪れるようになった。習ってもいない外国語が聞こえる空間に身を浸すのはとても気持ちがいい。だって習ってないから一ミリもわからなくて当たり前なのだ。各外国語のもつ純粋な音の響きに身を委ねてうっとりしていい時間。

そのうち、映画は言葉の要素としてのセリフや物語の脚本だけではなく、音楽、人の表情や佇まい、うつされている土地の風景、カメラの捉える光と影、さまざまな要素が絡み合って、映画として成り立っていることに気がついた。白黒のポーランド映画で、少女が修道院に再び戻っていくラストシーンはなぜだか私の胸をひどくかき乱し、上映後はしばらく立てずにいた。ほうけている私を誰も気にすることはない。ひとりで放ってもらえる場所、でもひとりではないという空間がとても温かく思えた。

帰宅する道すがら、映画のシーンを何度も頭の中で思い出した。白黒のフィルム、ふりしきる雪の中を歩く修道女、ジャズの演奏で踊るふたり。言語だけで表現しきれない世界が映画には存在するという当たり前のことに気がついてなぜかとても安心したのだ。「私が言葉をうまく操れなくても、伝えたいことを伝えられる世界がここにある」という気づきは、当時の私を心底落ち着かせるものだった。

白い花広がる野原

そのうちに、自分が学び始めていたベンガル語という言語には、どのような映画があるのだろうということが気になっていった。ベンガル語の映画がかかるということはミニシアターでも滅多になかったから、大学のAVライブラリーを利用してそれらを探してみた。サタジット・レイという有名な映画監督がいることはすぐにわかった。白黒の映画も多く、古い映画を見ることに慣れていなかった私は少しためらったが、一作くらいは見ておかないとまずいなと思い、重い腰を上げてサタジット・レイのDVDに手を伸ばした。いちばん有名な初監督作品の『大地のうた』だ。

AVライブラリーに常設されてあるパソコンにディスクを読み込ませ、ヘッドフォンをして映画を鑑賞しはじめた。オプーと呼ばれる少年と、姉のドゥルガと、母親とお婆さん。

父親は出稼ぎに行ったきりなかなか戻ってこない。ベンガルの村の中で繰り広げられる貧しい家族の日常が淡々と続く。貧しさが生む大人たちの苛立ちとは対極的に、少年少女は村の大自然を駆けずり回る。日がのぼり沈むのを繰り返しながら、映画内でベンガルの季節がめぐっていく。家族たちの日常は季節のめぐりの中で当たり前のように繰り返されていくから（というのは言い訳だが）、気がつくと映画の途中で意識が飛んでしまい話の筋を追いきれない自分がいた。

一時的にめざめては意識が飛ぶのを繰り返しているうちに、やがて忘れられない強烈なシーンが訪れる。オプーとドゥルガが列車をふたりで見にいくと、いきなり村の森が開けた白い綿の花の大平原になり、黒煙をあげる列車がそこを通り過ぎていく、という場面だ。綿の花は子どもたちより背丈が高く、ふたりはその海をかき分けながら列車の方に近づいていく。白黒のフィルムだから、草原は白くて列車と黒煙は黒い。しかし白黒だからこそ、それらの物質のテクスチャーが見事に表現され、白黒の画面は繊細な水墨画のような様相を醸しているのだ。

小さな画面だったがその光景の美しさが忘れられないものとなった。それだけでも彼の映画をマスターピースとして捉えるには十分すぎる理由だと思った。綿花の光景は私の記憶のひとつとなり、ダッカの郊外でそれを目にしたときは、「レイの映画の光景とそっくりだ！」と心から嬉しくなった。

脳内に焼きつくような素晴らしい光景を映画の中で手に入れるたび、気がつくと私は映画の虜になっていった。頭の中のアルバムにそれらは蓄積されており、日常生活の中で思い出すことはあまりない。でも、この文章を書いている最中には次々と思い出してしまいなかなか筆が進まないのである。その断片とは例えば、『アデル、ブルーは熱い色』のハンドパンのメロディーや、人殺しの目をしたナワーズッディーン・シッディーキーや、佐藤真の映画の中でこちらを執拗に見つめ返してくる牛腸茂雄の写真のまなざしや、アミール・ナデリが死を覚悟して撮影した、砂埃をひた走る少年の姿や、『近松物語』のキャメラが捉える女の情念など。お気に入りの断片たちは捨てたくても惜しくて捨てられず、映画に絶望しようとしても、絶望しきることを許そうとはしない。さらには断片の一部を作り出すようにと私に命令する。

「映画」を表現する単語としてベンガル語に「チャヤチョビ」という言い方がある。「チャヤ」は「影」という意味で、「チョビ」は「絵」や「写真」を表す単語だ。現在は「チョルチットロ」という言い方で映画を指し示すことが多い。現在「チャヤチョビ」という言い方はあまり聞かないのだが、私は映画を指し示すこの単語がとても気に入っている。フィルムの時代を感じさせる言い方であるというのもさることながら、映画館のスクリーンで見る映画は全て光の投影であるから、私たちは「影」を見ているのである。印象深いシーンは影おくりのように脳内に焼きついていく。脳裏に焼きついたそれらを味わうように反芻することで、日常の風景や出来事が、映画を見る以前とは少し違って見えるようになる。保存した影は、私の頭のなかで幻の映画を作り始める。

インディペンデント映画制作者は、映画を日常的に何本も作れるわけではない。運良く私は二十代で長編映画を一本作ることができたのだが、するとますますサタジット・レイの存在は、「巨匠」として神格化されていく。神格化に至るまでの具体的なエピソードは豊富である。初監督作品でカンヌに入選。その後勢いに乗った彼は、数多くの映画を作る。サタジット・レイのポートレイトはかなり写りが良く、どこからどうみても巨匠にしか見えない。タゴール生誕百周年のタイミングでは、当時のインド首相ネルーからタゴールのドキュメンタリーを作るようにと依頼される。黒澤明には「レイの映画を見ていないのは月を見たことがないのと同じだ」と言わしめた。とんだ偉人に違いない、と思っていたのだが、サタジット・レイ唯一の自伝を手にとって、それは一種の「マヤ（妄想）」であったことを思い知らされた。どんな監督だって人間だし、誰にでも、映画を初めて作るタイミングがあるということをすっかり忘れていたのだった！

初めて映画を作る監督の一般的な保証書とでもいうべきものは、長年助監督としてやってきたか、カメラマン、もしくは少なくとも映画の脚本家であったということであろう。しかし、私は、このどれでもなかった。私がしたのは、長年映画を見てきたこと――まず、学校時代は映画愛好家として、その後は熱心な映画の研究者として、技術に関することを読んだり、暗い講堂で、判読しにくいノートを取ったことである。

――サタジット・レイ『わが映画インドに始まる　世界シネマへの旅』森本素世子訳、第三文明社

白い花ぜんぶ食われた

映画を作るということは、半ば賭けのような行為である。多くの人々とお金を動かしながら作品を制作しても、そもそも完成に至るかどうかわからないし、できた作品がたくさんの人に受け入れられるかは公開までわからないからだ。唯一の自伝書の中でサタジット・レイは、映画制作の経験がない中で、『大地のうた』を制作しはじめたことを語っている。デザイナー時代にイギリス出張で鑑賞した『自転車泥棒』のように、無名の俳優や自然のロケーションで映画を制作する手法を夢見た。手を動かしながら映画制作を体得し

ていった巨匠があけっぴろげに書いた自伝は、現代を生きるインディペンデント映画制作者にとっても非常に有用な気づきを与えてくれる。

仕事をすることは——たとえ、たった一日の仕事であっても——、映画制作そのものの複雑で魅力的な特質を徐々に理解していくという、少なからぬ見返りがある。長年にわたってこつこつと身につけた理論家たちの教えは、確かに、心の奥深くで有用な働きをしてくれる。しかし、初めて実際にそのメディアに取り組むと、次のようなことに気づくものである——❶まず、あなたが知っていると思う以上に、あなたはそれについて何も知らないということ、❷理論家は、すべての答えを与えてはくれないということ。

——サタジット・レイ『わが映画インドに始まる　世界シネマへの旅』森本素世子訳、第三文明社

❶と❷に関して、私はその通りだと思う。映画は撮影しなければ存在せず、頭の中でこねくり回している段階では幻にすぎない。ドキュメンタリーでいえば映せた素材が全てで、素材の時点で「活き」が悪ければ、完成する映画のできは期待できない。そして撮影中には必ず予期せぬ出来事がおこるものだ。屋外撮影であれば常に日光は変化するし、ま

ごまごしているうちに監督自身が相手に質問しそこねることがあったり、録画ボタンを押し忘れてインタビューを撮り損ねるなんてこともあるし、そもそも撮影データが何らかの理由で失われてしまうこともある。撮影器具が壊れる事件も私は経験したことがある。光量を調整するNDフィルターがバリーンと割れて、違うメーカーに買い替えたら色感が変わってしまった、なんてこともあった。サタジット・レイも、著作で自らの苦労話を開示する。

そのシーンを半分ほど撮ったところで終わってしまったので、次の日曜日に、私たちは同じロケ地にもどった。しかし、これが同じ場所だったのだろうか。信じられなかった。一週間前には、真っ白い真綿の海原だった野原が、今や、単に荒涼とした茶色い草地に変わっていたのである。カーシュの花が季節のものであることは知っている。しかしそれにしても、こんなに短命だろうか。土地の農夫が説明してくれたところによると、その花は牛の餌になるもので、私たちが来る一日前に、牛や水牛がやって来て、文字どおりその景色を食べてしまった、と言うのである。

——サタジット・レイ『わが映画インドに始まる　世界シネマへの旅』森本素世子訳、第三文明社一体どの理論家が、「野原が牛に食べられてしまう可能性があるので、同じシーンは一日で撮影すべし」と指南してくれるだろうか。申し訳ないが私はこの一行を読んで、涙を流しながら笑い、そして胃が痛くなった。サタジット・レイのチーム一同が荒野を見て絶望する光景が目に浮かぶ。映画制作者として想像するだけで冷や汗が出るけれど、傍から見たらすごく笑える。CGのない時代だろうから、解決策としては再びカーシュの花が咲く季節まで撮影を待つしかないのだが、追加撮影の予算をどのように調整しようか、キャストの都合は来年空いているのだろうか、同じ撮影チームで撮影することができるのだろうかなど、心労は尽きなかったであろう。肝心なシーンであるだけあって、この致命的なミスは映画全体のクオリティに関わる。絶体絶命の状況だ。

無為に過ごさざるをえなかった長い日々（それは二度あり、合計すると、一年半ものの長さになった）は、深い絶望感以外のなにものをも生み出しはしなかった。シナリオに細部にわたって手を加えたり、対話に磨きをかけるという考えが浮かぶどころか、それを見るのもいやだった。

――サタジット・レイ『わが映画インドに始まる　世界シネマへの旅』森本素世子訳、第三文明社サタジット・レイですらインドの予測不可能な撮影状況に苦しむことがあるのだと思い、ものすごくはげまされる気持ちがした。彼も人間なのだ。映画作りに嫌気がさすタイミングがあるのだ。大体、花が咲くまでの間、予算やキャストのことを考えながら待たなければいけないなんて相当辛い状況である。ここまであけすけに裏側の話を打ち明けてくれると、監督の自伝は華美に脚色されたものではなく信頼に値するものだという確信が得られる。だからこそたったひとつだけ、自分にとっては議論したい箇所があった。

根付くのか、旅をするのか

❸あなたのアプローチは、ドヴジェンコの『大地』（"Earth"）［一九三〇］から（月光のなかでのあの踊りを、あなたがどんなに愛していようとも）引き出されるのではなく、あなた自身の国の大地や土から引き出されなくてはならない、すなわち、あなたの物語は、当然のことながらあなたの大地に根ざしていなければならないのである。

——サタジット・レイ『わが映画インドに始まる　世界シネマへの旅』森本素世子訳、第三文明社

『大地』はソビエト映画で、サタジット・レイはインド人だから、「インド人ならインドで映画を撮ろう」ということなのであろうか。この点に関して、私は立ち止まってしまう。果たして、生まれた国だけが「私自身の国」なのだろうか。私はタゴール・ソングの生まれた国から映画を引き出した。言葉を学んだ「旅人」として。外側の人間が、内側を旅した記録として。だから己の創作が大地に根付いているかどうか問われるとき、私は頭を悩ませてしまう。私は十分な仕事ができているだろうかというふうに。

もやもやしているうちに、サタジット・レイの映画をこけら落としとして上映し、長年映画ファンに愛されてきた岩波ホールが二〇二二年七月二十九日をもって閉館してしまうというニュースが飛び込んできた。岩波ホールで上映されることがなければ、サタジット・レイの映画はこれほどまでに日本人にとって愛されるべきものにはならなかったし、日本語字幕で映画を見ることもなかった。

私を映画の作り手として何度も励ましてくれた映画館に「ありがとうございます」を心のなかで伝えようと思い、私は最後に上映された作品『チャトウィン　歩いて見た世界』を見に行った。今は亡き世界的な旅行作家のブルース・チャトウィンの足跡を、彼と親友であったヴェルナー・ヘルツウォーク監督がたどるドキュメンタリーだ。『ソングライン』

という著作の中でチャトウィンは、アボリジニの人々は死期が近づくと生まれた場所に向かって歌をうたいながら歩くと記した。死を予感するまでは放浪を生き、最期に生まれた場所に戻るという。

物事を解釈しようとする脳は、岩波ホールの最初と最後の上映作品が、このふたりの映画作家であることを考えた。大地に根付いて作られたサタジット・レイの映画から、大地を旅して生きたチャトウィンを追いかけたヘルツウォークの映画へ、バトンが渡ったように思えた。大地に根付いて創作することと、旅した先々でよりどころを見つけながら創作すること。この、一見正反対のようなふたつの方法論は、実はどちらも、映画を通じて普遍性にたどり着くことを目指しているのではないか。

カメラが捉える主人公のまなざしや、真理が詰め込まれたたった一言のセリフや自然が発する音は、根付いた大地であれ、旅先であれ、真実である。尊さは一瞬にして、この世界が生きるに値する世界であると伝えてしまうことがある。映画の魔力は映画を信じるものだけが写しとれるものだと思う。映画表現が常に飽くなき探究でありつづけるからこそ、希望の断片は未来の映画の中にこれからもちりばめられていく。

さて、私は再びサタジット・レイの『大地のうた』を自宅で見てみることにした。相変わらず冒頭数十分と後半の途中部分で意識が飛んでしまう。寝起きの私のすっきりとした意識が認識するのは、蓮の葉が浮いている池を、アメンボがちょんちょん水を切って進んでいく様子。オプーとドゥルガがカーシュの綿毛の草原を走り、列車が黒煙をあげて横切る。映画を志したばかりのかつての私が記憶の保管庫に詰め込んだそれらと、まったく同じであった。

相変わらず、何度見ても美しいと思う。綿毛の海原と列車の黒煙は、私に越境をそそのかしてくる。ベンガルを「私の大地」と言える日はベンガル人でない限り永遠に来ないのだが、映画の森と言語の森、両方を出たり入ったり、ときには迷子のようにうろうろしながら、ベンガルという大地の育む言語と文化を、焦らずゆっくりと探索して行きたい。

歌物語は今日も生まれる、ベンガルラップ・ヒストリー

アジアいち熱いベンガル語ラップ

学習した外国語は使わないとその「筋力」がどんどん衰えてしまう。外国語学習者として恐れている事態が、筋力の低下。日々の生活に流されているとこのような事態が多々発生する。衰えた筋力でベンガル語ラップを聞くと、極端な話だが以下のように聞こえる。

お母さんtjklsサリーgjggskdl
gjtjwえklt; 夢dksskgdfhg
tjdgskrfdk毎日rhiagke l;t gbfj

ひとりのベンガル語学習者、佐々木美佳 a.k.a.本書の執筆者は途方に暮れていた。ベンガル

語ラップを日本語で歌詞を交えて紹介するという任務を遂行できる人間は限られている。この本のなかで、日本語の世界にベンガル語ラップの世界をひらいていかねばならない！　野心に燃える佐々木。その一方で己の筋力の低下という問題に直面して頭を抱える。

「昔は聞き取れたのになあ……」

私は学生時代を懐かしんでいた。大学の廊下をウロウロできるなら先生や先輩をひっ捕まえて、質問し放題だったのに……だが下を向いていても始まらない。限られた条件下で闘うしかない。YouTubeで永遠にリピートさせているベンガル語ラップを聴きながら、頭をひねった。シャンティニケトンにいるスディップはラップは好みではないから質問しづらい。では、誰に聞けば教えてくれるのだろうか。

「そうだ、たまたま知り合ったバングラデシュ人がラップ好きだったから……ダメもとで彼に質問してみるか……」

日曜の昼下がり、私は最近知り合った若者代表・ナズムル氏に電話した。

「今日暇？　ちょっとラップについて教えてもらいたいんだけど」

「今起きた。暇。いいよ～」

なんとフットワークが軽いのだろう！　今日暇？　と忙しい日本人に聞いたら少し怒られてしまいそうだが、こういう具合に気軽に質問に付き合ってくれるのが本当にありがたい。Reebokのロゴの入ったTシャツとダメージジーンズで現れた彼はラッパーのような雰囲気を醸し出しているが、本業はエンジニアだ。ラップは好きで聞いているとのこと。本人とw-ifi完備のカフェで落ち合い、三時間超えの質問攻めに付き合ってもらった。センキュー！　お礼はベンガル語ラップを日本語で伝えることで返すぜ。

ところでラップミュージックは音楽ブロガーの軽刈田凡平氏が述べるように、いま南アジア世界でいちばんアツい音楽ジャンルだろう。ラップのルーツは六〇〜七〇年代のアメリカ・ニューヨークでのブロック・パーティーといわれている。ベンガル人が最初にラップしたときはギャングスターを模倣することから始まったが、ベンガルという土地でその音楽が耕されるにつれて、ひとつの「歌」のジャンルとして、独自の形でしっかり根を張りつつあるように思う。

ベンガルの歌の伝統として、吟遊詩人バウルの音楽は民衆に親しまれ続けているし、ヒンドゥーの神様への祈りは歌でもって捧げられる。ベンガルの大詩人タゴールが創った歌や、バングラデシュの国民詩人ノズルルの創った歌はベンガル語のクラシックミュージックのような形で歌い継がれている。大河のように流れる歌の伝統の中で育まれるにつれて、ラップはベンガル独自の形にトランスフォームしつつあるのだ。ここで、いまアツいベンガル語ラッパーたちをバングラデシュ・インドから紹介したいと思う。

レペゼンコルカタ、シジー@インド

借り物のラップではなく、コルカタのアイデンティティを芸術的な形で歌い上げることにシジーは成功した。自身のことを中産階級と歌っているシジーは、音楽一家の生まれである。父親も音楽関係者であり、母親の一族はエスラジ（ベンガル地方で使われる擦弦楽器（さつげん））奏者の家系だ。幼いころからシジーはヒンドゥスターン古典音楽やタゴール・ソングなどの手ほどきを受ける。

音楽一家で育つにつれて、「自分の心の声を言葉に乗せたい」という欲求が溢れてきて、ラップの方向へシフトしていったそうだ。「ベンガル人は言葉を話すために生まれてきた（笑）」と冗談混じりでインタビューに答えるシジーの心は本気だったのだろう。シジーがラップに興味を持ち始めた当初は、そもそもベンガル語でラップしている人が見当たらなかったそうだ。

インド人のラップも英語ばかりのタイミング、シジーは英語ではなく自分の母語であるベンガル語ラップを作り出すことにチャレンジし始める。まさに、西ベンガル州のベンガル語ラップシーンを切り拓いたパイオニアともいえる。

彼のラップスタイルは、ベンガル文学の伝統とともにある。詩作をする上で影響を受けたと答えるのは、映画監督サタジット・レイの父でチョラ（口承文芸であるナンセンス・ヴァースの一種）の王者とも言われるシュクマル・ラエだ。児童文学のリズミカルな言葉の連なりと比喩を参照しながら、シジーはベンガル語ラップを創作している。「レペゼンコルカタ」をテーマに彼は曲をいくつか作っている。その中でも『Change Hobe Puro Scene（全てのシーンは変化する）』という楽曲の、シジーのベンガルへの愛が伝わってくる歌の抄訳を紹介したい。

ベンガルには六人のノーベル賞
クリケットのノーベル賞はGangli
信号待ちで音楽鑑賞
死ぬまで毎日チルしよう
喫煙はパパに内緒
スタジアムで絶叫

俺の魂はBengali
歌を聞けばわかる
エンジニアコース
ベンガルミディアムで受講

全てのシーンは変化する
明日は新しい一日
楽しい夢を見る
色とりどりの！
新しい光を浴びて歩く
心が希望に満ちる
美しいばかり！

「死ぬまで毎日チルしよう」という歌詞を体現するように、シジーたちは「コルカタ・サイファー・プロジェクト」を立ち上げ、日曜日にノンドン・パークと呼ばれる公園で誰でも参加可能なラップの実践の場を開いた。私も映画『タゴール・ソングス』の撮影で、日曜日の公園サイファーを見学させてもらった。ラップというコミュニティには宗教のちがいは関係ない。ヒンドゥーも、ムスリムも、クリスチャンも、各々の言語を駆使してそれぞれの日常や日々思うことをラップしていた。公園といった極めてパブリックな空間で、今もシーンが生まれつつあるのだろう。

インドにおけるヒンディー語ラップのヒット曲の一億超えといった再生回数と比べると、シジーのベンガル語ラップの再生回数は十万回ほどで、控えめに見えてしまうかもしれない。あくまでも彼はベンガル語で、コルカタで生まれ、コルカタで生きる仲間のために歌っている。いつかその努力が大きなうねりを生むようにと願いを込めて、『Change Hobe Puro Scene（全てのシーンは変化する）』と楽天的にシジーは歌うのである。

ストリートに目を向けろ！　@バングラデシュ

西ベンガルの州都コルカタから、バングラデシュの首都ダッカの距離はおよそ三百キロメートル。東京名古屋間が少し縮んだくらいと説明するとわかりやすいだろうか。元はといえば同じ国であったが、一九四七年のインド・パキスタン分離独立から異なる歴史を歩んだ。バングラデシュは二〇二一年が独立五十周年という節目だ。独立から半世紀たっていない若い国は発展の最中で、「最貧国」から脱しつつある。急速な経済成長により首都ダッカには高層ビルやメトロなどの建設が進み、富裕層は高層マンションで暮らす。

一方で急速な経済成長は、路上生活者や児童労働といった問題を置き去りにしている。富裕層は地上から離れた高層マンションに暮らし、移動には自家用車を用いるから、スラム街や屋根のない場所で暮らす人々と出会うことはないのだろう。分断されていることが当たり前の社会で、トビブ・マフムードと少年ラッパーのラナはラップする。

俺はラナ
ダカイヤのガリーボーイ
金持ちの子どもはおもちゃで遊んでいるが
ボロボロのズボンで俺は歩いている

俺の望むことは学校に行って
お腹いっぱい食べること
新しいズボンを買って

お母さんにサリーをプレゼントすること
今はこの夢は胸の奥にしまっておこう
それより毎日お腹がペコペコなんだよ

ダッカ大学に入学したトビブは、学内でラナと出会った。花を売り歩いていた彼と仲良くなる。ある日「バイクに乗りたい」とラナから頼まれ、トビブはバイクのうしろに彼を乗せる。ドライブ中に「歌ってみてよ」と冗談混じりでリクエストしたのがきっかけで、少年の隠れた歌の才能を発見した。ラナは富裕層のストリートダンス教室を道端で見つめているうちに、ヒッホップに興味を持ち、耳コピして歌を覚えていたのだ！ 詩人でもあるトビブは彼と一緒にラップを作ることを決意する。

映画『ガリーボーイ』からインスパイアされたふたりは、バングラデシュの路上で生きるために稼ぐラナの物語をラップすることを思いつく。ところでラップといえば若者の歌と捉える大人たちは多く、「あれは趣味が悪い」と頑なに聞くことを拒む人すらもいる。子どもの切実な声に耳を貸そうとしない「ボロロク（お偉いさん）」に向かって、トビブはラップで語りかける。

お偉いさんは物乞いされても、ラナを叱るだろう
叱った後に、モスクに行って
偉そうな顔でマイクの前で説教をする

ふたりはBBCや国内の大手メディアに取り上げられる。さらにテレビやステージの仕事を通じて、バングラデシュのガリーボーイラップは社会現象となる。ドキュメンタリー『ガリーボーイラップ』第一話リリースから約二年たった今、再生数はシリーズ通算一千万回を超える。YouTube等で稼いだラップマネーで、ラナは学校に行く夢を叶える。最高のサクセスストーリーだ。彼はメディアの取材で「僕の夢はラッパーもしくは医者になること」と語るが、是非ともふたつの夢を同時に叶えてほしい！

トビブは関心ごとである「教育」の分野に裾野を広げ、ラナとの独自のラップコラボシリーズを続々と発信し続けている。コロナ禍の真っ最中には「手洗いうがいが大切」という素直・かつ誰にとっても必要なメッセージをラップしている。識字率が約七割のバングラデシュでは、音声言語とボディランゲージでメッセージを発することが情報保障にもつながっているはずだ。出版会社の仕事と思われるコマーシャル・ラップでは、世界の通貨を延々とラップする楽曲も彼の思想が反映されているようで面白い。

トビブのインタビューの語りを見ていると、自分たちの音楽を「歌」というベンガル語で言い表している。「歌」がメッセージを遠くまで届ける最強の手段であると、自然の理として理解しているのだろう。トビブというラッパーは、バングラデシュの社会を歌で変革していくのかもしれない。

コルカタのフィメイル・ラッパーたち@インド

「女性」として生きることは、バングラデシュ・西ベンガルのどちらでも困難なことだ。レイプやセクシャルハラスメント、性産業従事者に対する差別。それらはニュースの目次欄を追っていれば、ベンガル語圏でも頻繁に起こっていることが推察される。西ベンガル州のフィメイル・ラッパー、リアランは、女性に対する性暴力が繰り返される現実に対して、『Meye na（娘ではない）』というラップをリリースし、静かに訴える。

その人は私の娘ではない
その人は私の妹でもない

その人は私の知り合いでもない
私には関係ない

「その人」というのは、レイプなどの被害にあった女性を指すのだろう。リアランはYouTubeの説明書きに、「被害者そのものを非難する人々、及び、自分の家族に被害がなかったため、大きな事件が起きるまで、存在すらにも気が付けなかった人に、この歌を贈る。」と綴っている。女性に関係する無数の暴力事件に対して、人々が自分ごとであると考えていれば、暴力の連鎖は断ち切られていたはずなのに。リアランは無数の沈黙に対して批判的だ。

ところで、再生回数で歌を評価することはできないが、世間への認知度とそれは比例すると感じる節がある。リアランのラップの再生回数は二〇二一年十月段階で三万弱。しかしここに、フォーク・ソングというベンガル人の老若男女が聞くジャンルが融合すると、たちまち再生回数が伸びる。

ティナ・ゴシャルの『Tumi Bonomali（あなたはボノマリ）』（「ボノマリ」はクリシュナの別称）というラップは、ラーダーとクリシュナの神話を歌うベンガルの民謡がベースになったラップ・ソングだ。歌のはじめ、「クリシュナよ、生まれ変わったら私（ラーダー）になって 悲しみの花輪を首にかけ　私のように燃えるがいい」と、ラーダーの狂おしいほどの愛と信仰が歌われるお決まりのフレーズを歌う。「いつものフォークソングか」と思ったリスナーの意表をつくように、突然ラップが始まる。ラップの中でラーダーの苦しみと女性としての苦しみを重ね合わせる。聖俗を併せ持つ女性を讃えながら、都合の良い女性像を押し付けようとする社会の矛盾を告発するのだ。

私は何？　私は誰？
私は女　私は娘
私は娼婦　私は母
生理の血は不浄でも
私の血は何よりも清浄
夜のクラブに
ミニスカートで繰り出す女は
ヤク漬け
レイプされて
井戸にポイ捨て

私を苦しみから救ってよ
それが目指すべき道（destination）
私が死んだらメディアが報道する
それが私への祝福（celebration）

西ベンガル州は戦いの女神ドゥルガーの信仰が篤いが、女性への抑圧が続く矛盾した状況にある。『Tumi Bonomali』は、ベンガルの大衆に受け入れられるフォーク・ソングの形をとりながら矛盾を歌うことに成功している。歌のタイトルだけ見て、慣れ親しんだラーダー・クリシュナのラブソングと思いきや、途中からシンガーのTina自身がリリックを綴った強烈なラップが始まる。七百万回再生に近づきつつあるこの曲を教えてくれたのは、冒頭に登場したバングラデシュ人エンジニア・ナズムル氏であった。この歌が国境や宗教を超えてベンガル語の歌謡世界に広がっていることが推察されるし、男性からこういう曲を薦めてもらえることが、そもそも嬉しい。

伝統の歌、新しい歌

さて、ここまで読んでいただいた読者はベンガルのラップ・ソングの旅を西へ東へ、楽しまれたのではないだろうか。長旅にお付き合いいただきありがとうございました。体調はいかがですか？　胸焼けしてないといいのですが。言葉は時空を超えた手紙のようだから、コロナでベンガルに行くことが難しくても、歌を通じて今のベンガルを感じられるととってもいいですね。今のベンガルというよりも、もしかしたら未来を先取りしたベンガルなのかもしれないけれど。

初めに言（ことば）があった。言は神と共にあった。言は神であった。

——「ヨハネによる福音書」（『新約聖書』）より

変革の時代の混沌の中で、旗を掲げ人々を導くのは言葉であったと示すような聖書の一説がある。ジョー・バイデン氏が大統領に就任したとき、アマンダ・ゴーマン氏が民主主義を重んずるアメリカの再来とその未来を言祝（ことほ）いだのは記憶に新しい。歴史の潮目、混沌のさなか、詩人は進むべき方向のイメージを言葉でもって私たちに問いかける。ベンガルの詩人タゴールも、政治運動に関わっていた際には人々を励ます歌を創り、独立した国家のイメージを言葉で描いた。独立運動関連で作詞作曲した数々の歌はタゴールの死後、インド・バングラデシュの独立に伴い、国歌として採択された。

伝統が脈々と歌を育んできた土地で、今新しく生まれつつある歌を聞くと、国の未来を形作る若者の考えに触れることができる。何を大切に想い、どのような未来をつくっていきたいのか。ラップを通じて私は彼らの言葉に耳を澄ませることができる。コロナ禍であってもその魔法の手紙を開封することができるのだ。ラップを通じて見えてくるいまのベンガルを、読者のみなさまにも感じていただけたら幸いである。

今を生きるラッパーたちは、社会に向かって自分の言葉を歌いつづける。腐敗した政治に向かって、女性の人権に対して、声をあげる。私たちの国では今選挙の真っ只中だ。真実の言葉を語るのは誰だろうか。今の私には、熱のこもった街頭演説がストリートラップに聞こえてきてならない。

家を飛び出す女たち

不器用娘、カメラを持つ

私の母方の祖母は昔、織機工場で働いていた。「工場長やったおじいちゃんと職場で出会ってな、大恋愛して結婚したねん」小さいころにおばあちゃんから話を聞いたことがある。結婚後、祖母は専業主婦として子どもを三人育てた。家には足踏みミシンがあり、おばあちゃんはいつもミシンの近くに座っていた。小さいころ、祖父母の家に預けられて育った私は、糸をかけないミシンを踏んで遊ぶのが好きだった。ときどき近所の人がやってきては、おばあちゃんに裾直しを頼んでいたのをおぼろげに覚えている。そのときのおばあちゃんは裾直しの作業以上に、裾直しを頼んできた人とお話しすることを楽しみにしているようだった。おばあちゃんは針仕事を通じて人々と交流し、お直しのお金をもらっていた。そんな祖母から生まれた母親も手先がとても器用で、絵や手芸をセミプロとして極めている。

私も彼女たちの素質を受け継いだらいいなと思いながら、残念ながらその夢は叶わなかった。もともと左利きだったのが矯正され、自分の利き手がどちらなのかよくわからなくなってしまったことも原因のひとつだと思っている。学校で教えられた右手での針仕事がやりにくく、とてもイライラするのだ。かろうじて覚えた左手での包丁使いは母を少々混乱させたらしく、料理を教えてもらうとしてもお互い気まずい雰囲気になり、あきらめた。右手でまっすぐの線を何度練習しても引くことができず、画家にはなれないと思った。

だから右と左に関係のないことをしようと思い、自然とカメラに興味を持ち始めた。ブラインドタッチができれば左右差関係なく文章を書くことができる。この作戦は結果的に正解だったらしく、ベンガルをテーマにした映像や文章を生業とすることで、己の能力を生かしながら社会活動ができている。持って生まれた才能が多少なりともあったから実現できているのかもしれないが、状況に恵まれていたとも思う。地方出身ではあるが両親に私を浪人させながら東京の大学へ送り出すだけの資本と理解があり、東京という街でさまざまな人と出会うチャンスがあったからだ。さらに時代が味方してくれた。映像技術が進歩し、放送関係者ではない学生でもカメラを手にすることができた。

文部科学省の調査によると、一九七二年、今から五十年前の日本では、女性の大学進学率は二十三パーセント程度だった。それが今では五十パーセントを超える。ＮＨＫの「日本人の意識調査」では、「女の子にも大学まで行かせたいか」という項目があるらしいが、調査開始の一九七三年にポジティヴな回答をした人の割合は二十二パーセント、それから二〇一八年には六十一パーセントと飛躍している。また首都圏と地方によって、女性の進学率にも差が出ている。私の母親がさまざまな事情で当時希望する大学を受験できなかったという話は、耳にしたことがあった。私も生まれる時代が少し早ければ、冒険的な選択を家族に後押ししてもらえなかった可能性がある。

ベンガルのフェミニストたち

祖母の時代は家（バリ）から一歩も出られなかったが、母の時代は買い物に行くことができるようになった。時代は少しずつ変化している。

——映画『タゴール・ソングス』より

私の監督したドキュメンタリー映画『タゴール・ソングス』に出演してくれたコルカタ

の女子大生オノンナさんが父親と口論する場面で、父親が言った言葉だ。祖母が家から一歩も出ることがなかった。このやりとりに日本人の私は耳を疑ったが、これは南アジアで広く慣習として残っている「パルダ（隔離）」というシステムの影響だろう。パルダとはペルシア語由来の言葉で、「カーテン」を意味し、南アジアにみられる女性を隔離する社会的・宗教的規範だ。女性はパルダによって長らく行動を制限されてきた。

個人の行動や思想が周囲に伝わり、人々の価値観が変容することで社会は変化していく。自分の感じたことやおかしいと思うことを文章にし、それが本となることで、変化のスピードは加速する。百年以上前のベンガルにもフェミニストがいて、女性の立場から伝統社会への疑問を言葉にした。

ひとりはベンガル語ではじめて自伝を書いたことで歴史に名を残したラスシュンドリ・デビ（一八一〇－？）だ。十二歳で結婚して嫁いだ彼女は家（バリ）から外の世界に出ることを禁じられていた。まさにオノンナさんが口にした「祖母の時代は家から一歩も出られなかった」というセリフと同じような状況だ。当時、文字を読める女性は家庭に厄災をもたらすという迷信があったため、文字を覚えることを家族から禁じられていた。ラスシュンドリは、息子が文字を覚えがきしていた葉っぱを台所で仕事をしながら盗み見て、文字を覚えたという。彼女を読書へと駆り立てたのは、ベンガルの宗教家チャイタニヤの聖人伝を読むという宗教的感情によるものだった。
ラスシュンドリは、必死で覚えたベンガル語で、夫の死後の晩年『アマル・ジボン（私の人生）』（一八七五）という自伝を書き上げた。

あるとき、「文字を読めるようになりたい」という欲望が強く湧き上がった。私は本を読めない自分に腹が立っていた。女の子は文字を習わない。なんて酷い事態なんだろうと私は思った。どうしたら良いのだろう、これは古いシステムの悪しき側面なのだ。

——*Women Writing in India: 600 B.C. to the Present*

彼女の文章をベンガル語出版の世界に送り出したのは、実はタゴールの実兄であるジョティリンドロナート・タゴールであった。タゴール家の思想がいかに先進的であったかがうかがえる。
『私の人生』が世に送り出されたタイミングから五年後の一八八〇年、ベゴム・ロケヤというフェミニストが誕生した。彼女は女子教育に意識の高い裕福な家庭に生まれ、結婚した二十歳年上の夫からは書くことを励まされ、作家としての活動をスタートした。女性の教育不足が経済的地位の低さにつながっていると指摘し、女子教育の必要性を訴え、ベンガルではじめての女子校を作った。作家として数多くの作品を残した彼女の代表作は、『Sultana's dream（スルタナの夢）』（一九〇五）というフェミニズムSF小説だ。

主人公スルタナがある日アームチェアーの上でインド女性の行く末について考えていると、強い眠気に襲われ、不思議な夢を見る。夢の世界では男女の役割分担が逆転していて、「レディ・ランド」と呼ばれる世界を散策することになる。水先案内人となるサリーという女性に連れられて、女性が主役の世界を、スルタナは最初、恐る恐る歩く。

「パルダの世界で生きてきたので、ヴェールを外して歩くのに慣れていないんです」
「ここでは男性に出くわすことを恐れなくても大丈夫。ここはレディ・ランド、罪も害もないレディ・ランドなんだから」

——*Sultana's Dream*

ベゴム・ロケヤはSFという手法を用いて、ベンガル社会のパルダの伝統や女性の抑圧された状況がいかにおかしなことかを描写している。一九〇五年出版の『スルタナの夢』で描かれた「レディ・ランド」は未だ達成されていない。男性中心の世界は南アジア世界のみならず日本でも未だ継続している。私にはひとりでベンガル世界を動き回ってカメラを回しながら安全を確保できる自信がない。世界一安全な都市といわれる東京で暮らしていても、女は痴漢や盗撮やストーカーに気をつけながら生きなければならない。「ジェンダー・ギャップ指数二〇二一」は日本の男女格差が先進国の中で最低レベルであることを伝えている。この世界が「レディ・ランド」ではない確かな証拠だろう。

「変化は作りだすもの」

非「レディ・ランド」を生きている二〇二二年、私はバングラデシュ人女性が監督した『メイド・イン・バングラデシュ』という映画を見た。映画冒頭の、ミシンの轟音と緊急避難を知らせるサイレンの音に、胸がぎゅうと握りつぶされる心地がした。ラナ・プラザ崩壊事故を想起させる演出だった。

二〇一三年四月二十四日、首都ダッカから北西約二十キロメートルにあるサバールで、八階建ての商業ビル「ラナ・プラザ」が崩落した。死者千百二十七人、行方不明者約五百人、負傷者二千五百人以上が出たこの事故は、ファッション史上最悪の事故とも呼ばれている。事件からおよそ十年がたつバングラデシュにおける労働者の労働環境は改善されているといわれているが、女性労働者に光が当たる映画作品は見たことがなかった。労働者の権利のために闘った女性の物語が映画になったということを聞いて、胸が高鳴った。「こういう映画を見てみたかった！」と、いち観客としてその映画を見るのを待ち望んだ。

以前、私は縫製工場労働者の声を聞こうと思って、失敗してしまったことがある。『タゴール・ソングス』の取材で労働組合を訪れたことがあったが、パズルのピースを埋めるみたいな姿勢がバレてしまったのだろう。縫製工場ではたらく女性をインタビューする予定だったが、彼女とアポイントをとるための連絡がつかなくなってしまった。そのときは返事がないのなら仕方がないなと思っていたが、恵まれた立場の若い外国人という立場で、ズケズケと彼女のプライベートに入っていくようなことをしていたのだと思う。彼女のことを取材したいのなら、彼女たちとときを過ごし、彼女たちのために心からの仕事をするべきだった。そうすることでようやく、話を聞くという扉が開かれるのだ。

女性労働者の闘争の物語を描いたのは、ルバイヤート・フセイン監督というバングラデシュ人の女性監督だ。主人公は、雇用主にパワーハラスメントを受けながら、労働組合設立のために闘う労働者のシム。NPOで働くナシマと出会い、労働法を学ぶ。縫製工場での労働そのものが過酷であるし、先進国で一枚のTシャツが売られる値段は、一か月分のシムの給料でもある。しかしそれは、映画を見る先進国の人間が、シムを「可哀想」な人間であるとして、ラベリングするべき事実なのだろうか？　確かに夫からのDVも受けているシムの生きている現実は辛い。しかしシムは、労働の現場に出ることで支援団体のNPOや労働法と出会い、自らの意志でそれを学び、仲間や自分を救うために命懸けで行動をする。

この映画はシムのモデルとなったダリアという人物の人生の実話に基づいて作られている。「ほぼ本当のこと。嘘といえば、映画を彩るラブロマンスくらいかな」と冗談めいてテレビの対談で話すダリアの姿は凛としてとても格好良い。

女性はもう犠牲者ではない。変化を起こす力を持つものであるということを、この映画で私は描いた。

——ルバイヤート・フセイン

映画は作るだけで終わりではない。上映活動も含めて映画なのだと思う。ルバイヤート・フセイン監督はダリア本人を国外の映画祭に連れていき、観客と意見をかわしたという。バングラデシュ国内では、一般的なシネマホールでの上映に限らず、縫製工場で働く女性たちを集めて上映会を開き意見交換や教育の場を作っている。国内で唯一のインディペンデントな女性映画制作者として国内外から注目されるルバイヤート・フセイン監督も、バングラデシュで変化を生み出す存在なのだろう。

「祖母の時代は家から一歩も出られなかったが、母の時代は買い物に行くことができるようになった。時代は少しずつ変化している」という父に対して、オノンナさんは「変化は作り出すもの」と反論している。映画の中で、どちらが正しいかということはなかったけれど、私は父ではなくオノンナの意見に賛同したい。

いち早く書くことに挑戦したベンガルの先進的なフェミニストたち、物語世界で先進的な女性を描いたタゴール。そして現代、オノンナや、映画監督や、労働組合を作ったシム。女性たちの闘いは連綿と続いていく。それは、ベンガルであっても、日本であっても同様だ。社会をすぐに変化させることは難しいが、それでも私たちは変化の一滴となり、それぞれの世界で行動することができる。

合言葉は「チンタ・ナイ（心配ない）」。ダッカ国際映画祭

「チンタ・ナイ」とはいうけれど……

帰国後三日間の施設隔離ののち、入国後十日間の隔離が義務付けられる――

「え、滞在日数よりも隔離日数の方が長い……」

昨年の十二月、私はバングラデシュ行きのチケット購入ボタンをポチるかどうか悩んでいた。というのも、二〇二二年一月十五日から二十三日の期間、第二十回ダッカ国際映画祭（Dhaka International Film Festival）に自作の『タゴール・ソングス』の出品に際して招待されていたからだ。国際映画祭に出品されるのは映画の作り手としての願いのひとつであったから、初めての国際映画祭出席に胸が躍る。とはいえ冷静に考えて、スケジュールを確保するのが難しい隔離日数である。私はあれやこれや、手元に抱えている仕事を思い出して頭をなやませていた。しかもちょうどオミクロン株が流行りはじめていた最中のことだっ

た。

そんなこんなで、渡航するかどうか毎日決めきれずにいた。映画祭のディレクターであるアフマド氏に「オミクロンが心配だ」とメッセンジャーのビデオコールでそんな胸の内を伝えると、「ミカー。チンタ・ナイ（心配しないで）。身体に良くない。来たら全部大丈夫！　あなたは来るだけ。ついたら全部準備してあるから、とにかく来て」と叱咤激励をうけた。

心配しないで。Don't worry. チンタ・ナイ。ヒンディー語だとコーイ・バート・ナヒーン。南アジアに縁がある方ならわかってくれるだろう。この言葉の耐えられない軽さを！しかしこのときばかりは信じるしかない。画面越しの陽気な映画祭ディレクターの言葉に賭けよう。意を決して渡航準備をはじめることにした。

もうなにもわからない

『はじめてのおつかい』というテレビ番組が胸を打つのは、小さな子どもが「はじめて」、親の頼みをうけてひとりぼっちでおつかいするからである。おつかいという行為そのものは成長の過程とともに容易な行為になるのだが、なんせ子どもが世界に初めてひとりで繰り出す様子を番組にしているのである。気がつくと視聴者に親心が憑依し、ハラハラ・ドキドキしながらその番組を見守ってしまう。

「はじめて」の「コロナ禍海外渡航」。それは普段の三倍以上に、書類集めと情報収集に労力をかけることであった。日々刻一刻と変わるコロナ事情。それらに追いつくことは到底不可能である。PCRの陰性証明？　七十二時間前？　英文証明？　トランジットの所要時間？　インドトランジットが無理そう？　はぁぁぁぁ!?　情報を集めれば集めるほど、小さな頭が混乱してくる。そんな私を見て心配になったアンジャリさん（インド旅行企画のプロ）が、「旅行代理店でチケットを押さえて」と極めて実利的なアドバイスをくれたのであった。餅は餅屋、はじめてのコロナ禍渡航はひとりで準備したら事故が起きる。ご紹介いただいた「GNHトラベル&サービス」という旅行会社経由でシンガポール航空のチケットを押さえてもらうことにした。これでもう日々アップデートされるコロナ情報と睨めっこする必要はない。落ち着いた気持ちで旅行準備に邁進することができるようになった。

ダッカの土を踏むまでが勝負だ

はじめてのコロナ禍海外渡航。トランジットの短い航空券、ＰＣＲの陰性証明書、映画祭の招待状、パスポートのコピー、ワクチン接種の英文証明書エトセトラ……。必要なカードをかき集めながら、旅行三日前から陰性証明書取得のためのスケジュールを組む。朝が弱い私は寝過ごす恐怖に耐えられず前泊する。一月十五日早朝、さまざまな書類を握り締めながら成田国際空港に足を踏み入れた。

まだまだコロナの影響が続いているせいで、空港に到着してもがらんどうだ。今から旅行をしようとしている人の間にも、心なしか緊張感が漂っている。世間一般の情報では英文の陰性証明の紙切れ一枚が、出国手続きの明暗を分けると言われている。はじめてのコロナ禍渡航、もはやはじめての海外旅行をするような気持ちである。「本当にこの陰性証明の紙切れ一枚で、本当にチェックイン通るんやろか……」何もかもが疑わしく、書類をチェックするグランドスタッフを、固唾を呑んで見守る。一分程度ざっと書類を見渡したスタッフは、

「はい。問題ないですよ～」

と何事もなかったかのように旅券を発行してくれた。チェックイン手続きが本当に済ん

だことが告げられたのである。勝利のガッツポーズ、その一である。

お気づきかもしれないが、ダッカに到着していないのにすでに約二千文字ほど費やしてしまった。それどころかまだ旅は始まっていない。それでも久々に日本を離れる国際線に乗り込むことのできた私は感極まり、窓にべったりとへばりつきスマホで離陸の様子を録画してときを過ごした。シンガポールのトランジットも難なくクリアし、ドキドキのダッカ行きの飛行機に乗り換える。周りの乗客が一気にバングラデシュ人となり、人間の醸し出す匂いがほんのり変わるのである。少し強めのフレグランスがそれぞれ混じりあった、目の覚める匂い。久々の香りにダッカが近づいてきていることを感じずにはいられなかった！

旅の疲れに身を任せ、一眠りすればそこはもうシャージャラル国際空港。いよいよダッカの地に足を踏み入れるのだ！　精神のたかぶりを感じた私は意気揚々と飛行機を降りる。が、普段のチェックアウト手続きに加え、陰性証明チェックの加わったダッカの空港は普段以上の混雑具合であった。陰性証明手続きの列に並んでいたら日が暮れてしまう……途方に暮れながら周りを見渡すと、なんと「DHAKA INTERNATIONAL FILM FESTIVAL」というプラカードを持ったひとりの青年がそこに佇んでいるではないか。感極まった私は勢いよく駆け寄り、青年に思わずハグをする。映画祭ディレクターの「チンタ・ナイ」とはこういうことだったのだ！

「Welcome to Bangladesh！『ミカ、ＪＡＰＡＮ』だよね？　君が今日の最後のゲストだ。さあ、行くぞ」

映画祭スタッフのトゥルジョ氏は、ゲスト送迎になれた様子。空港スタッフに事情を説明すると、列をするするとかき分けながらあっという間に出国手続きを終えてしまった。ＶＩＰと書かれた出入り口から颯爽と空港を後にし、映画祭所有のハイエースバンに乗り込む。ものの五分でチェックアウト、初めて受けるＶＩＰ待遇に、若干腰を抜かした。

深夜のダッカの道は、通勤ラッシュではないからスイスイと進む。私は今、ダッカの道を走っている！　高揚感と安心と疲れが一気に押し寄せて、なんともいえない気持ちになった。横目で案内役のトゥルジョ氏を見ると、彼も一日の務めを終えたようでバンにどっかりと腰を下ろしている。

「お疲れのところひとつお願いがある……タバコを吸ってもいいかな」

「あ、そんなこと？　No problem！　どうぞお好きに」

「ミカもよかったら吸う？」

もらいタバコを勧められることが日本よりも多いバングラデシュ。私もこのときばかりは解放感に満ち溢れていたから、どうしても吸いたくなった。記憶する喫煙経験のなかで、このときほど美味しいものはなかった。勝利のタバコを噛み締めながら、ダッカの夜風を全身で浴びて今この瞬間を味わう。

ひとりぼっちは辛い

私にあてがわれたコンチネンタル式のホテルは、どう見てもひとりの宿泊にしてはトゥーマッチのサイズ感だった。ふかふかのベッドに身を投げて、さあ十時間眠ろう……そうは問屋がおろさない。招待されたということは、任務も伴うのである。まずは映画祭の雰囲気に慣れること。なんせこちらは「はじめての」国際映画祭出席だ。ホテルにはクロアチア、ブルガリア、エジプト、ロシア、ポーランド、インド、ネパールと、さまざまな国からのゲストが滞在していた。公用語は英語だから、最初は耳が慣れなくて正直全部は聞き取れず焦る。会食会場に赴いても東アジア勢は私ひとりである。似たような文化圏の人がいないダッカ国際映画祭、アウェイ戦だ！（戦いではないのだが）

オープニングセレモニー、カンファレンス出席、会食が続く映画祭で、どうしても少しずつ疲れが溜まる。キングサイズのベッドがドカンと陣取る自室は広々としていていいが、なんとなくもの寂しい。連日アクティビティをこなしてホテルに戻るので、部屋を整える余裕もない。どうしたものかと思ってホテルをぶらついていると、同じ階の奥の部屋ふたつに、ポーランドからきた映画監督のイヴォナさんと衣装デザイナーのイザベラさんが泊まっていることに気がついた。私と年齢は離れているけれどなんとなく気があって日中行動を共にしていたマイペースなふたり、なんと同じ階に寝泊まりしていたとは。

「お邪魔してもいいですか?」

勇気を出して声をかけたところ、ふたりは「もちろん。今からイザベラの部屋でお茶しようと思ってたところ。ミカもポーランドのお茶、どう?」と快く私を迎え入れてくれたのであった。

その日から私は彼女たちの部屋に毎晩通うこととなり、お互いのゆっくりとした英語でいろいろなことを話した。ポーランドのハーブティーとブラックユーモアの効いたおしゃべりは、滞在中の何よりも私を癒してくれた。

「ポーランドでタゴールは翻訳されて、愛されている。だからタゴールのことを知りたい。あなたの映画を見てみたい」

私の映画に興味を持ってくれたことが嬉しかった。

ミッション：上映を見届けろ！

一月十八日は私の監督作である『タゴール・ソングス』の上映日だった。映画はもう完成しているのに、お客さんに見せるときは、ふしぎなことにその都度緊張する。まして、この日ばかりはいつもの上映とは一味ちがう。なぜならタゴールの話したベンガル語の国で上映されるのだから……！

果たしてお客さんは来てくれるのだろうか、どんな反応をするのだろうか。そんな不安を埋めるために、映画祭当日がくるまで、すれ違う人々に対してちいさなリーフレットを配り歩いた。

「一月十八日、タゴール・ソングを題材にしたドキュメンタリーを上映します」

興味をしめす人、しめさない人、いろいろだったが、どんどん配らなければいけないと思った。そうじゃないと何をしにここまでやってきたのかわからない。突然入るテレビ取材や新聞の取材も全部受け、夜中には眠い目をこすりながらパソコンを開いて現地の知人たちに上映情報を送り続けた。

そんな努力が功を奏したのか、超満席というわけではないが、会場にはほどよい人数の観客が詰めかけてくれた。ホッと胸を撫で下ろす。インド・バングラデシュの国歌が流れるシーンでは、各国の観客が直立して国歌を口ずさむ。田園風景のシーンでは「キー・シュンドル！（とっても綺麗）」とバングラデシュ人観客の感嘆の声が聞こえてくる。美しい歌声が響くシーンでは「オシャダロン（素晴らしい）」と心の声が言葉になってホールにこだまする。会場は九割がたバングラデシュ人の観客で、タゴール・ソングをくちずさみながら映画を観てくれた。上映後は「この映画を作ってくれてありがとう」という観客からのたくさんのメッセージが届き、胸がいっぱいになった。

帰国するまでが映画祭

無事に監督作品の上映を見届けることができ、張り詰めていた気持ちが解放された。あとは映画祭で上映されている作品を見て回り、毎日の交流を楽しむだけだ。めいっぱいエンジョイするぞ！　と気軽な気持ちになれない不穏な噂が飛び込んできた。

「映画祭ゲストが、コロナ陽性になったみたい」

映画祭という超過密空間が恐れていた事態が発生したのだ。急きょ、全員に対してＰＣＲ検査がほどこされることになった。「『選出作品』だけにはならないようにしないとね」と仲間内で冗談を飛ばして笑い合っていたのも束の間、同じホテルに泊まるゲストの陽性が判明し、自作の上映後も気を抜けない状況が続くことになった。とはいえここはバングラデシュ。歌い・踊り・話す人々。チャイ片手に何時間も語り尽くすエネルギーに満ち、デング熱やマラリア、今までさまざまな感染症と闘ってきた国だ。人々は目の前の友人と話すのに百パーセントのエネルギーを使い、その場に浮かんでは消える会話を味わい尽くす。郷に入れば郷に従え――。私はできるかぎりマスクと手洗いを徹底しながら、毎日を人々に交じってすごすことにした。気がつけば、よく笑い、よく歌い、そして踊っていた。

バングラデシュ人とはベンガル語でおしゃべりし、各国のゲストとは英語でおしゃべりするマルチリンガルな映画祭も残すところ最終夜のみとなった。ポーランドチームのふたりにお茶をせびりにいくのも今日で最後かと思うと名残惜しい。出会った記念にと、イヴォナ監督はかぶっていたポーランド製の帽子をプレゼントしてくれた。イザベラさんは私に詩をくれた。

永遠の若者もいれば
永遠の老人も存在する

性格がそうさせるのであって
カレンダーのせいではない

子どもを生み育てたあとに映画をつくり、映画祭でダッカに旅をしにきたふたりのポーランド人は、勇敢な、永遠の若者のようだ。ポーランドから来たふたりの若者に、私は帽子と詩をもらい、ダッカを後にした。コロナも特別賞ももらうことはなかったけれど、私はもう十分、映画祭からたくさんのものを受け取ったと思った。

歌はベンガルの歴史を忘れない

エクシェの二月に

ベンガル人、ことバングラデシュ人にとって「21」という数字は、ただの「21」ではない。「21＝エクシェ」というベンガル語は、特別な意味を持つ。私がバングラデシュに初めてホームステイした二月は、一年の中でもひときわこの「21」という数字を意識する月だった。二月のバングラデシュでは、テレビをつけると、ある歌がいつも流れていた。白い抽象的な塔のモニュメントを背景に、人々が高らかに歌を歌っている映像や、バングラデシュ独立戦争のことを振り返るアーカイブ映像が始終放送されていたのだ。

兄弟の血で大地が赤く染まったエクシェ・フェブラリー（二月二十一日）
私は忘れることができない

息子を失った数えきれない母たちが涙を流す
私は忘れることができない
黄金の国の血で赤く染まった2月
私は忘れることができない

——*Ekusher Gaan* by Abdul Gaffar Choudhury

「この歌はなんなの？」

私はこの滞在で仲良くなったシュルミに尋ねた。

「『エクシェ』の歌だよ。私たちは今晩、『ショヒド・ミナル（殉教者の碑）』に花を捧げにいくよ」

シュルミとシャミは、普段着から持参していた服に着替えだした。ベンガル語の文字がたくさんプリントされている。エクシェの日に着る特別な服のようだ。

「オモル・バングラ（不滅のベンガル語）」

ふたりは当たり前という顔をして、ベンガル語の書かれた服を着ていた。

「私たちの通っているダッカ大学の先輩たちは、ベンガル語を国語にするために声をあげて、パキスタン軍に撃たれて死んでしまった。それが一九五二年二月二十一日の出来事」

シュルミは長い髪をとかしながら説明する。

「彼らがベンガル語を守るために闘ってくれたから、今の私たちがいる」

愛国的な意味の日本語がたくさん書かれた服を着るのは私だったら恥ずかしいと思ってしまうのだけれど、経験している歴史が違うからそう感じるだけだと、このとき理解した。

一九五二年二月二十一日に警官隊と学生が衝突し四名の死者が出た翌日、死者追悼のために数千人が集まり、デモが行われた。七十年以上のときがすぎても、二月二十一日になるとこの道をたくさんの人々が埋め尽くす。追悼祭なので厳かな雰囲気を想像していたが、路上では国旗や国旗を模した柄のハチマキが売られており、さながらお祭りのような雰囲気だった。エクシェの歌の「アミ・キ・ブリテ・パリ（私は忘れることができない）」というフレーズはすぐに耳に残るから、私たち一行はこの歌を歌いながらショヒド・ミナルへと向かった。もちろん路上で売られていたハチマキは、外国人観光客である私の頭に巻かれることになった。

そんな浮かれたお祭り気分とはいえ、ショヒド・ミナルにつくと、「靴を脱いでね」と言われた。やはり、ここはとても大切な場所なのだ。身が引き締まる。テレビの中で目にしていたショヒド・ミナルの現物は、想像以上に大きなサイズであった。真ん中の大きな白い柱を母語、つまり母と見立て、左に二本、右に二本の小さな白い柱は母を取り囲む息子だといわれている。背後の真っ赤な赤い丸は、太陽や血を表現しているそうだ。人々が思い思いの場所に献花しているから、ただの広場の地面が、花畑のようになっていた。ベンガル語と犠牲者に向けて、私も献花をした。

目覚めよ大蛇よ、カル・ボイシャキの嵐よ
罪のない子どもの殺戮に、怒れる大地が揺れる
国の黄金の子どもたちを殺し、人々の要求を退けた彼ら
幾年すぎて世の中が変わったとしても
彼らはその罪を逃れられるのだろうか？
そんな訳がない
血塗られた歴史の中で、その判決は下される
二月二十一日に、二月二十一日に

冬の終わりのその日
晴れ渡った夜空に月が微笑む
夾竹桃の香りが広がるのを胸いっぱい嗅いだとき

突然獰猛な嵐が訪れた

暗闇の中ですら猛獣が誰だかわかる
母に妹に弟に、憎しみを浴びせる存在
彼らは要求を無視し、この国の命に火を放った
彼らはベンガルの胸を蹴落とした
彼らはこの国に属していない
国の幸運を売り払ったのだ
彼らは人間の食べ物を、住居を、幸せを奪った
エクシェの二月、エクシェの二月よ

君は今日この日に目覚めよ、二月二十一日に
勇敢な少年少女が今日圧政者たちの牢獄の中で死ぬ
私の死んだ兄弟の魂が呼びかける
人々の眠れる力を呼び覚ませ
激しい怒りの炎でこの二月に火をつけろ

二月二十一日に、二月二十一日に

エクシェの歌は一番が歌われることがほとんどなのだが、続きがあった。いくらときを刻んだとしても、言語を奪われそうになったことは忘れないという強い意志を感じる歌詞だ。

母語を守るための戦い

二月二十一日はのちの一九九一年に、ユネスコによって「国際母語デー」として制定されることになる。言語と文化の多様性、多言語の使用、あらゆる母語の尊重の推進を目的とした国際デーだ。日本では意識することの少ない日なのだが、この国にだってアイヌ語や八重山語など、消滅の危機にある言語が八つ存在する。さらに、東京・池袋には友好の記念としてバングラデシュから贈られたショヒド・ミナルのレプリカがある。国内の大多数が「日本語」を話していると思い込み、日常的に使う言葉が脅かされることなど夢にも思っていない私たちこそ意識すべき日なのではないだろうか。あらゆる言語は守られ受け継がれるべきだと思うし、そして何より誰かの言語が奪われること、差別されること、権利が剝奪されてしまうことは、あってはならない。

母語とするベンガル語を国語にすることを訴えた「ベンガル語国語化運動」は独立運動の中の重要な出来事として捉えられ、暗黒の東パキスタン時代からバングラデシュ建国後の今までずっと、歴史を象徴する日として、二月二十一日は追悼される日となった。しかし、その過程でどれほど国が混乱し、犠牲を払ったのだろうか。

バングラデシュ独立戦争がはじまる前年の一九七〇年十一月十二日、東パキスタンのベンガル湾沿岸にサイクロン・ボーラが上陸した。記録が残る中では最悪のサイクロン被害となり、五十万人以上がこの災害で亡くなったとされている。当時のパキスタン政府のサイクロン災害に対する消極的な対応が引き金のひとつとなり、バングラデシュ建国を求める論調が高まった。

サイクロン直後の普通選挙による制憲議会議員選挙では、ベンガル人の自治をめざしたアワミ連盟が東パキスタンに割り当てられていた議席のほとんどを獲得し圧勝。しかし国権の譲渡を認めない西パキスタン側の中央政府は国会開催の無期限延期を発表した。結果、ベンガル全土で激しい抗議の声が上がった。のちの首相となるアワミ連盟党首のムジブル・ラフマンは三月七日、パキスタン政府への徹底抗戦を集まった二百万人の聴衆に向けて訴えた。

今回の闘争は　私たちの自由のための闘争だ！
今回の闘争は　私たちの独立のための闘争だ！
バングラに勝利あれ！
エバレル・ショングラム　アマデル・ムクティル・ショングラム！
エバレル・ショングラム　アマデル・シャディノタル・ショングラム！
ジョエ・バングラ！

この歴史的演説はYouTubeで聞くことができるのだが、ムジブル・ラフマンのベンガル語の演説は人々の心をひとつにしていることがよくわかる。バングラデシュ人でない私でさえ、ひとりひとりに訴えかけてくる、シンプルで力強くリズミカルな彼のベンガル語を聞いていると胸が高鳴る。もうパキスタンの圧政に我慢することはない、独立の日を夢見て立ち上がろうという気分になってくる。バングラデシュ人はムジブル・ラフマンのことを「ボンゴボンドゥ（バングラの友）」という愛称で呼ぶ。彼の演説を見ると、私もボンゴボンドゥと呼びたくなってしまうくらい、高揚感と一体感のある歴史的な演説なのだ。

一九七一年三月二十五日、パキスタンは高まり続けるベンガル人の抵抗運動を抑え込むために「サーチライト作戦」を実施した。ダッカ大学の寮にパキスタン軍が侵入し、就寝中だった多くの学生や教師をはじめとする知識階級の人々が射殺された。私はホームステイ中に歴史学科の教授にお世話になっていたのだが、その期間中に歴史学科で、サーチライト作戦を主題として取り扱った『ゲリラ』という映画の上映会があり、私も一緒に鑑賞させてもらった。当時は歴史の知識もほとんどなかったから、「どうしてパキスタン軍がバングラデシュ人を執拗になぶり殺す残虐な映画を見なければならないのか」と目を覆いながら鑑賞したのだが、今思うとあれは、「この場所で約半世紀前に起きた虐殺の歴史」を描いた映画だったのだ。隣に座って真剣な眼差しでスクリーンを食い入るように見つめていたシャミやシュルミだって、生まれていた時代が違えば、あのように虐殺されていたかもしれない。歴史学科の学生たちの鬼気せまる鑑賞態度は、今思えば至極真っ当だったのだ。

サーチライト作戦の同日にボンゴボンドゥは独立を宣言、戦争開始の合図となった。しかし戦争が開始されたからといって、ムクティ・バヒニ（解放軍兵士）たちの勢力は全く優勢なものではなかったし、戦争に参加する人以外の生活者たちは、生き延びることに必死だった。ベンガル人のヒンドゥー教徒はパキスタン軍の虐殺の対象となった。東パキスタンとインドの国境を越えて避難しようとしても、その道中で殺されてしまうかもしれず、避難が成功したとしても、難民キャンプでは貧困と不衛生な環境下での流行病に苦しみながらの生活が待っている。

親戚の医学生が一体十二万円で念願の研究用骸骨を購入したという。いやな予感が当たった。それが二十歳前後のベンガル人女性のものとわかった。

東パキスタンでは一九七一年三月から十二月、バングラ・デシュが誕生するまでの八か月余の間にパキスタン軍によって三百万の人々が殺害され、二千万の人々が家を失ったといわれ、北海道の二倍に満たない狭い国土は荒廃の極と化した。

吹浦忠正『血と泥と　バングラ・デシュ独立の悲劇』読売新聞社

これはバングラデシュ独立戦争時に、赤十字社連盟駐在代表として約八ヵ月間当時のバングラデシュに滞在した吹浦忠正氏によるルポルタージュ本の冒頭の文章だ。混沌を極める戦時下の東パキスタンに滞在していた数少ない外国人の手記として大変貴重な記録である。戦争や虐殺で死んだ学生や若者の体が先進国の医療研究などのために売り買いされていた。

戦場を歌で世界に伝える

海外で生活しているベンガル人にとっても、日々同胞が苦しみ命を落とす独立戦争は苦難の日々だったはずだ。シタールの名手でありベンガルにルーツのあるラビィ・シャンカルは、友人でもありシタールを教えてもいたジョージ・ハリスンにバングラデシュの瀕死の窮状を訴えた。ベンガル語発音では「ロビ・ションコル」と発音する彼は、生まれこそベンガルではないのだが、ルーツが現バングラデシュにある。だからこそ、アメリカや西洋のメディアが独立戦争の関与や報道に関して消極的であった当時の状況にいたたまれない思いがあっただろうし、アメリカで活動するシタール奏者としてできる最大限のことを探っていたのだろう。その相談を受けてから二ヵ月あまりで、ジョージ・ハリスンはチャリティコンサートを開催した。

友人が目のうちで悲しみを訴えかける
「僕の国が死んでしまう前に助けてほしい」と言う
僕にその痛みを感じきることはできないけれど
すぐに何かしないといけないと気がついた

皆に訴える、私たちが命を助けるのをサポートして欲しい
バングラ・デシュ、バングラ・デシュ
あまりに多くの人が次々と死んでいく。
間違いなく大惨事
こんな悲劇は見たことがない
どうか今すぐ手を貸してくれないか
理解してくれないか
バングラデシュを救うんだ

——ジョージ・ハリスン「Bangla Desh」より

「Although I couldn't feel the pain（僕にその痛みを感じきることはできないけれど）」という、部外者としての素直な一言が、私は好きだ。偽善的に「I can feel the pain」と言われるよりも。痛みを感じられないからこそThe Beatlesの元メンバーとして行動を起こし、「ベンガルの国」を何も知らないアメリカの人々にも、バングラデシュ前夜の大惨事を知らしめたのだから。

「Bangla Desh」が歌われたチャリティ・コンサートのライブ音源をまとめたレコードの

ジャケットは私たちの目を惹きつける。真っ赤なジャケットに、痩せて物欲しげな赤子が、空のお皿の前に座っている写真。「The Concert for Bangladesh（バングラデシュのためのコンサート）」という極めてシンプルなタイトルが印字されている。このコンサートで集められた約二十五万ドルは、戦争の最中にユニセフに寄付された。チャリティ・コンサートといえば映画化されたQUEENの「Live Aid」が有名だが、ジョージ・ハリスンのこのコンサートはチャリティ・コンサートの先駆けとして知られている。

『ハリスンさん、ジャングルに身を隠してゲリラとして戦っていたとき、他の国で自分たちのことを思ってくれる人がいる、と知るだけでずいぶん心強く思ったものでした』

——TUFS media「ジョージ・ハリスンの『バングラデシュ・バングラデシュ』」より

コンサートから随分と時間がたった後でも、ベンガル人が経営するカレー屋に行くと、ジョージ・ハリスンはウエイターからこのように声をかけられたという。バングラデシュ政府の公式発表ではこの独立戦争で、三百万人が亡くなったといわれている。ベンガル人女性はパキスタン軍兵士から性虐待を受け、多くの餓死者や難民が生まれた。戦争直後もパキスタン軍による知識人虐殺が行われた。さらに戦争という極限状態においては、加害側も被害側も理性が失われる。パキスタン軍によるベンガル人の殺戮だけにはとどまらず、戦後はパキスタン軍への支援を行ったとして、バングラデシュ国内では少数派であるビハール人の殺戮も行われた。

キャンパスは虐殺を見ていた

ダッカ大学の構内を歩いていると、建国の歴史とあちこちで出会う。戦争の犠牲者たちのモニュメントがあちこちに設置されているからだ。しかし言語運動から独立までのおよそ二十年間に流れたおびただしい血のことを考えたら、それは然るべきことなのだ。あのころ何気なく呑気に闊歩していた広大なダッカ大学のキャンパスは、バングラデシュ建国で犠牲になった死者たちの流血を目撃していた。

わが黄金のベンガル　私はあなたを愛しています
あなたの空　あなたの風は　私の心の竹笛をとこしえに鳴り響かせる
母よ　早春のマンゴーの森が放つ香は　私の心を夢中にさせる

美しきこの世界よ
母よ　晩秋の実り豊かな稲穂に甘美な微笑みを見た
木陰　愛　慈しみ―
菩提樹の根も　川辺も　あなたの衣に包まれて
母よ　あなたの言葉は蜜のように甘い
美しきこの世界よ
母よ　あなたの顔が曇ると　私は涙を流します

――バングラデシュ国歌「我が黄金のベンガルよ」

おびただしい流血の歴史を知った後、なぜこのタゴールの歌が国歌として採択されたのか、ボンゴボンドゥが「黄金のベンガル」を理想としたのか、少しだけ想像することができる。流血で赤く染まった大地ではなく、黄金の稲穂で満ちた大地を。死んだ子どもを想い涙を流す母ではなく、腹一杯にお米を食べて元気に駆け回る子どもを微笑ましく見つめる母を。タゴールが謳った理想郷を実現させるべく、ボンゴボンドゥはこの歌を国歌にしたのであろう。

五十万人を前にして行なわれたこの演説の最中、ムジブはいくたびかハンカチで目頭をおさえ、聴くものとともに泣いた。「予想される幾多の困難を乗りこえて、ともに新生バングラ・デシュを「黄金のバングラ（ショナール）」に築きあげよう。ジョイ・バングラ！」

——吹浦忠正『血と泥と　バングラ・デシュ独立の悲劇』読売新聞社

流れた血を想って、花を

この原稿を私は八月の終戦記念日前後に書いている。敗戦国と戦勝国で戦争の記憶のされ方が真逆であることは仕方ないにしても、果たして、日本語には戦争を記憶するための歌が、どれほどあるのだろうかとふと気になった。流行した歌のなかで日本の戦争をうたった歌がどれくらいあるのか思い出してみるが、「戦争」ということが明示されている歌が口をついて出ることはなかった。そのなかで、THE BOOMの『島唄』のことが思い浮かんだ。

でいごの花が咲き　風を呼び　嵐がきた

でいごが咲き乱れ　風を呼び　嵐がきた
くり返す悲しみは島渡る風のよう
ウージの森であなたと出会い
ウージの下で千代にさよなら
島唄よ　風に乗り　鳥とともに　海を渡れ
島唄よ　風に乗り　届けておくれ　私の涙

歌を作詞作曲した元THE BOOMボーカルの宮沢和史氏の執筆した『沖縄のことを聞かせてください』を読むと、この歌が生まれた背景や、歌の裏側にこめられた祈りが痛いほど伝わってくる。この歌は地上戦で亡くなった二十万人以上に向けた鎮魂歌なのだ。宮沢さんは著作の中で一大ブームとなった『島唄』の裏側を語る。ひめゆり平和祈念資料館を訪れたことにより、日本が沖縄を、本土への侵攻を遅らせるための地上戦の場としたことや、それを知らずに本土で今まで生きてきたことなど、沖縄戦に対する無知を恥じ、歌を作らずにはいられなかったと記している。この楽曲が発表されたのは一九九二年。バブルの余韻が残る浮かれた時代だからこそ、直接的に沖縄戦のことを訴える歌は作らず、表向きは沖縄の風土を舞台にした出会いと別れを歌にした。ダブルミーニングで沖縄の悲劇を伝えるメッセージを一語一語に埋め込んだ。誰が聞いても覚えやすいメロディーと余白のある歌詞は、そういうことだったのだ。

「戦争」を通じて起きた出来事を忘れまいとする歌たちが発するのは、「未来永劫、こんな悲劇が起こらないように」という普遍的なメッセージなのではないだろうか。バングラデシュ独立を勝ち取るための戦争の裏側には、犠牲となった無数の死者たちがいる。日本の敗戦の裏側には、帝国主義の犠牲となった死者たちがいる。私と遠い関係のない歴史のように思えても、歌を聞くことで、歴史をくぐりぬけたものの痛みを引き受けてしまうし、その後は無関係ではいられない。

沖縄での地上戦開始日とバングラデシュの独立記念日は三月二十六日である。ふたつの出来事にはなんの因果もない。だけど歌を通じてお互いの歴史を知り合うことができるのかもしれないと私は思った。事実、宮沢さんは二〇二一年に在バングラデシュ日本国大使館が主催したJapan Fest 2021で、バングラデシュのシンガー、ターサン・カーンと「島唄」を一緒に歌っている。オンラインでのコラボレーションだが、宮沢さんは日本語で、ターサン・カーンはベンガル語で、交互に歌を歌いあげた。聡明な歌い手のターサンは、歌のメッセージをとてもよく理解して、歌う前にバングラデシュの観客に向けてベンガル語で歌の意味を説明してくれた。

私たちバングラデシュも一九七一年の恐るべき戦争を経験しているから、これ以上の戦争はもうこりごりだと思う。『島唄』は愛し合うふたりが一九四五年の地上戦で引き裂かれることを歌っている。この歌はもうこれ以上世界で戦争が起きてほしくないことを伝えているんだ。

——ターサン・カーン

あの日私は、ショヒド・ミナルになんとなく献花してしまった。次にダッカを訪れるときは、歴史を知った人間として、心をこめて花を手向けたい。

賢治とタゴール、同じ空を見上げて

雨、ふる　葉、揺れる

彼が初めて童謡を覚えたとき、彼の全身を身ぶるいするような喜びがつらぬいた。それは「雨はぱらぱら、木の葉はざわざわ」という、ベンガル語のありふれた語呂合わせであったが、少年にとっては、詩の魔力の最初の啓示であった——後年彼が述べているように、それは大詩人の最初の詩であった。「あの日の喜びを思い出すたびに、いまでも私は、なぜに詩にはそれほどリズムが必要なのかがわかる。リズムがあればこそ、言葉は終わり、しかも終わらないのだ。発せられた音はやむが、その響きは消えはしない。そして耳と心は、リズムを互いに投げ合うこの遊戯を、いつまでも続けることができる。こうして、長い一生、わたしの意識のなかで、いくたびもいくたびも雨はぱらぱらと打ち、木の葉はざわざわと震えるのである。

——クリシュナ・クリパラーニ『タゴールの生涯　上』森本達雄訳、第三文明社

タゴールが詩に目覚めたときのことを懐古している文章がある。「ジョル・ポレ、パタ・ノレ」という魔法をかけるみたいなリズムをもつベンガル語がきっかけだったという。口に出すと恐ろしくシンプルな言葉が、少年の心を詩的世界へ導いた。「雨はぱらぱら、木の葉はざわざわ」、直訳すると、「雨、ふる　葉、揺れる」だ。ただの音のリズムを優先させるとしたら「あめふる、はゆれる」だろうか。

あめふる、はゆれる
ジョル・ポレ、パタ・ノレ

当時ロビ（太陽）と呼ばれた少年タゴールは、この言葉のつらなりを唱えるとき、何を夢想したのだろう。雨露が葉を揺らす光景を想像しただろうか。もしくは言葉をつぶやいたとき、眼前にその光景が広がっていたのだろうか。雨季だったらありうるかもしれない。雨が一定の期間ふり続けることを思うと、繰り返されるリズムがあることに気づく。ジョル・ポレ、パタ・ノレ。あめふる、はゆれる。少年の背丈、視線低め、長回しのロング

ショット、眼の前の草木を雨がうちつけ、葉たちが揺れうごく。

　タゴールのことではなく、今度は私のことを少し書く。私が生まれ育った土地は、寒い季節に雨のふることが多かった。雨の日に心に湧いてくるのはベンガルにおける雨季の到来のような喜びの感情というよりも、憂鬱の感情だった。厳しい寒さのなか、しとしとと雨がふる。冬の時期、町は灰色になる。風がつよく吹いて雲がいそぎ足で駆けていく。高校生の私はマフラーに顔を埋めながら風に吹かれて速い速度で移動する雲をながめ、「遠くに行きたい」と強く願うようになった。曇天から逃げだすため、とは言い過ぎかもしれないが、上京し、寒い冬でもきちんと晴れる良さを味わった。

　生まれた町を離れてから十年がたつ。東京にいると、あんなにいやだった曇天の日が懐かしく感じる。都市には手付かずの自然があまり残されていない。遠くを見ようとスマートフォンから顔をあげて前を見ると、人々・ビル・舗装された道が目の前に広がっている。だからときどき、都心で思いきり雲を見たくなる。

雲は言った「もう行くよ」と　夜は言った「じゃあ行くね」と
海は言った「岸辺と出会った――私はもう十分」
悲しみは言う「足跡のように静かにしていよう」

私は「何もいらない、消えてしまおう」

——タゴール・ソング「Megh boleche jabo jabo」

これはタゴール・ソングの歌詞の翻訳なので言葉には旋律がつけられている。雲がゆったりと流れるようなリズムと優しいメロディーで構成されている。紙面上で歌を聞かせられないのはなんとも歯痒い。文字だけでは伝わらない情報がそこには必ずある。柔らかな歌に身を浸しているうちに、ささくれた自我がまろやかになっていく。私が私でなくなっていく。雲も夜も海も、全てが変化し続ける自然現象のうちのひとつであり、私たちは自然のなかを生きる、ただの生き物でもある。

賢治とタゴールの空(アカシュ)

タゴールの自然の歌に出会うとき、私自身の心象風景が呼び起こされるのだが、それと同時になぜだか宮沢賢治の詩の世界も思い出す。私はタゴールの研究者でも宮沢賢治の研究者でもないが、ふたりの世界が、言葉の描写する自然世界を通じて、そして「音」そのものへのこだわりを通じて、つながっているように思えてならないのだ。

けふのうちに
とほくへいつてしまふわたくしのいもうとよ
みぞれがふつておもてはへんにあかるいのだ
（あめゆじゆとてちてけんじや）

――宮沢賢治「永訣の朝」

「永訣の朝」という宮沢賢治の詩の冒頭、死の床にいる賢治の妹が渇いた喉を潤そうとして、賢治に「霙（みぞれ）を取ってきて」と頼む。「あめゆじ」というのは「雨雪」の花巻方言だ。「霙」は、サラサラの雪でもないし、雨でもない。質量のある物体だ。妹の口にそれが流し込まれると、霙は体内で溶けて水になってしまうだろう。水の形態が変わるという時間経過と妹の死がかさなるようだ。

うすあかくいつさう陰惨（いんざん）な雲から
みぞれはびちよびちよふつてくる

賢治が石巻で見ていた空を、タゴールはベンガルで見ていた。

——宮沢賢治「永訣の朝」

もしもあなたがものをいわないならば、わたしはあなたの沈黙でこころを満たして辛抱しよう。わたしは鳴りをひそめて待つとしよう、夜が星に監視されて忍耐づよく頭を垂れているように。

朝はかならず訪れ、闇は消えるだろう。あなたの声は金色にきらめく流れとなり、空をつらぬいて降りそそぐだろう。

そのとき、あなたのことばは歌となり、わたしの鳥たちの巣のひとつひとつから飛んでいくだろう。あなたの音楽は花となり、わたしの森という森の木立ちに咲きはじめるだろう。

——ラビンドラナート・タゴール『ギタンジャリ』川名澄訳

タゴールと賢治、このふたりは遠くを見ている。開けた自然がふたりの目の前にぽっかりと現前し、空や雲を飽きることなく見つめている。空にはすなわち宇宙があり、そのむこうには、永遠に相当する何か、普遍的な何かがある。作家ふたりが自然に囲まれていた場所はベンガルと石巻、それぞれ環境が異なるのだけれど、空(アカシュ)が両者をつなげているようだ。賢治の「永訣の朝」と、タゴールの『ギタンジャリ』。ふたつを並べてみると、自然の中で死やいのちを思うふたりの姿が重なる。ノーベル文学賞受賞のきっかけとなった詩集の『ギタンジャリ』は、タゴールの肉親や妻や子どもの不幸が立て続けに続いた四十代、胸の張り裂けそうな試練の日々の中で紡いだベンガル語の歌が大半を占めている。暗い底の悲しみを掬い上げたのも、やはり彼にとっては、歌だった。

空には　星と太陽
世界には　命が満ち
住みかを見つけた私の
歓喜の歌が溢れ出す

繰り返す時の流れに包まれて
揺れる大地のリズムを
この血で感じるからこそ

歓喜の歌が溢れ出す

草を踏み分け　森を彷徨い
花の香りに心躍らす
喜びの宝石がちりばめられた世界で
歓喜の歌が溢れ出す

風の声を聴き
葉の揺らぎを見つめ
大地に心を捧げ
見知らぬ世界を旅したからこそ
歓喜の歌が溢れ出す

――タゴール・ソング「Akash Bhora Surjo Tara」

「なむふかしぎこ」と「ノモシュカル」

人間にとってのいちばんの他者は、自然なのではないだろうか。人間は生きているあいだ、日が昇って沈むのを繰り返し見ることができる。雨垂れも、太陽と月のバトンパスも、一定のリズムを刻んでいる。心が悲しいと思うこと、嬉しいと思うこと、これらも宇宙のめぐりのように、交互にやってくる。「タゴールの詩は古くならない、なぜなら彼は本当の悲しみや喜びから詩を書いたからだ」と、とあるベンガル人が語ってくれたことがある。深い悲しみも喜びも、詩人の心のように思いきり感じきる。ただそこにあるだけの星や空や大海原といった自然が、めぐりくる感情を代弁していると世界から読み取ること。

「ベンガルの人間は、エモーションを大切にするんだよ」

世界の美しさを心いっぱいに味わうのを手助けするのが、詩なのかもしれない。なんでもない雲が悲しみにつながること、葉っぱの揺らぎが繰り返すリズムを持ち、喜びに満ちていること、詩が世界の見方を教えてくれる。言葉にならない感情のゆらぎを自然と重ね合わせることで、喜びは、星々が煌めくようにさらなる歓喜となり、今ある悲しみも、夜明けがやってくるようにいつかは穏やかな感情になることを教えてくれる。

ベンガルの人々は、体の中にある歌や詩の言葉を惜しむことなく高々とそらんじてくれる。苦難の歴史を乗り越え、言葉を勝ち取ったという自負がベンガル人からありありとにじみ出ている。口をついて出るタゴール・ソング、すらすらと暗唱されるノズルルの『反逆者』の詩。人生を楽しむ天才には、詩が溢れている。文字通り、言葉が自分の体の中をめぐっている状態なのだろう。ただその詩を読んだことがあるとかいうレベルとは違うと思う。私はたくさんのベンガルの歌を聞きながら、彼らに何を聞かせてあげられるだろうかということを考える。

私は私の中に眠る日本語の言葉を一生懸命思い出す。ちいさいころ、祖父が私を膝の上にのせ、お経を聞かせてくれたことを思い出した。ふわふわでふさふさの白髪が生えたおじいちゃんは「美佳、お経おぼえるで」と言い、私を膝にのせて、冒頭二行を読み上げた。

帰命無量寿如来（きみょうむりょうじゅにょらい）
南無不可思議光（なむふかしぎこう）

おじいちゃんと遊ぶのが大好きだった私は、これも一種の遊びだと思って、おじいちゃんの後に続いてその言葉を繰り返し繰り返し唱えた。柔らかい子どもの脳みそは、そのよくわからない呪文をそっくりそのまま覚えてしまっているから、今でも考えずとも口から出てくる。あの言葉はなんだったのだろうと今になって調べてみると、それは親鸞の正信偈という言葉であって、お経ではなかった。

朝には紅顔あって夕には白骨となれる身なり

——正信偈「白骨の御文」

おじいちゃんはもういなくなってしまったし、仕事で出会った人たちがいなくなることも少しずつ増えていく。子どものころの葬式でなんとなく耳にしていた住職の言葉「朝には紅顔あって夕には白骨となれる身なり」が、だんだん現実の言葉となって私の世界の認知の一部となっていく。諸行無常の世界のなかで阿弥陀仏に帰依するというこの言葉を唱えるだけで救われる、と親鸞は説いてくれたのだから、おじいちゃんはいいことを私に教えてくれた。なむふかしぎこ、の「なむ」はサンスクリットから来ていて、「敬礼」を表す言葉だ。そのままベンガル語で「ノモシュカル（こんにちは）」という現代語へとつながっている。そう考えると、私がベンガル語を学習しているというのもそんなに不思議な話ではないと思う。

きみょうむりょうじゅにょうらい　なむふかしぎこ

ジョル・ポレ、パタ・ノレ

日本語とベンガル語のリズムにつられて、心の中の木々が揺れはじめる。おじいちゃんと遊んだ日々、無限に続くと思った夏の気配。ともだちと家に帰りながら遊んだケン・ケン・パ。母親に手を引かれて長靴で水たまりに足を突っ込んだピチピチ・チャプチャプ・ランランラン。海をザブザブ泳いで、ぷかぷか浮かぶ。子どものまっさらな身体には、日本語のリズムが知らぬ間に埋め込まれていた。ベンガル語の響きが触媒となって、ふるさとの海と空のひろがる夏の日のことを思い出す。

言葉が口から出たら
言葉はもう死んでいると
誰かは言う
でも私は
言葉はその日から
生きるのだと思う

——*A Word is Dead* by Emily Dickinson

となりのベンガル人

金曜の夜、新大久保で

「アプニ・ノトゥン・マヌシュ？（あなたは新しい人？）」

そんな何気ないベンガル語の会話が、新大久保のイスラム横丁の路上でふと聞こえてきた。

「ドゥイ・マーシュ（二ヵ月めだよ）」

スマートフォンを売る露店でのことだった。思いがけず耳に入ってくるベンガル語が脳内で会話として組み立てられることが嬉しく、私はニンマリしてしまう。

この原稿を書いているのは主に東京だから、生活言語は日本語に囲まれている。だけど新大久保などの多国籍な街でさまざまな言語が飛び交う様子は大変面白く、その感覚が心地よくなってしまい、気がついたらよく出入りするようになっていた。原稿をよく書くカフェの店主の母語は韓国語のようで、お店には韓国語がとびかっている。私にとって韓国語は未知の言語だから、そういう言語に囲まれながらの作業はとても捗り、日本語での執筆に集中することができる。

新大久保の街を歩くとき、私はつい聞き耳を立ててしまう。イスラム横丁と呼ばれる、スパイスや南アジアの食材類を販売する店舗が軒を連ねている通りがあるのだが、その一角にバングラデシュ人が経営する店舗がある。「イスラム横丁」と一緒くたに呼ばれてはいるが、その道はネパール人の店、インド人の店、バングラデシュ人の店、パキスタン人の店というふうに、国ごとにお店が分かれている。客も取り扱う商品がお店によって違うということを熟知しているから、オーナーの国籍とお客の国籍が自然と一致する。

昔インド人に「コチュジャンと味噌は同じ調味料なの」と聞かれたことがあったときに「全然違う！」と息巻いて答えたのだが、同じように南アジアの国々にも国によって食文化に大きなちがいがあり、話す言語の種類もちがう。私の学んでいるベンガル語を話す人々は必然的にバングラデシュ人のやっている店に集うから、その店の前を通るときはついつい聞き耳を立ててしまう。

そこで私の耳に飛び込んできたのが「ノトゥン・マヌシュ」というベンガル語だった。新しい人。日本で暮らし始めてまだまもないらしいバングラデシュ人と思われる若い女性客は、棚にところせましと陳列されている新しいスマートフォンを真剣に選んでいる。私は日本に暮らしはじめて二ヵ月経ったという彼女の生活を想像した。留学生なのだろうか、それとも仕事や夫の都合で日本に来たのだろうか。明るい声の様子から、戸惑うことはあるだろうけどきっと日本の生活を満喫し始めているんだろうな、と勝手に想像した。

金曜日の夜。仕事が終わったムスリムがチャイ片手に情報交換したり、ムスリマたちが買い出しに出てきたりして、路上に活気が生まれる夏の夜だ。私の属していないコミュニティがそこには広がっている。私の信じる宗教はイスラームでもなく、また人種や国籍的にベンガル人でもない。どれだけ言葉を学んだとしても、いつまでたってもベンガル人になることはない。一方で、私がコルカタやダッカの路上でチャイを飲んでいたときは周りのみんなが気さくに声をかけてくれたのだから、もっと気軽に声をかければいいのになと思う自分がいる。私はベンガル語が話せるのだから、もっと彼らに話しかけて、ボンドゥ（友だち）を作ってもいいんじゃないか？ それでもなぜだか日本にいるときの私は心に壁を作っている。自分の中の苦い思い出が、心を覆う膜を形成したんじゃないかと推察している。

バングラデシュ人との恋

今だから白状するが、私は一度、とあるバングラデシュ人の男性を好きになり失恋したことがある。その経験がやはり苦くて、進んでバングラデシュ人男性とコミュニケーションをとるのを恐れている節がある。

その人はとても美しい日本語を操る人だった。長身なのだがメガネをかけた風貌は大変奥ゆかしく、「天才というのはこういう人のことなんだな」と思えるくらい、語学の才能がある人だった。

「日本語はとても簡単。漢字の成り立ちを学んでいると本当にわくわくする」

日本語を学ぶ外国人は口を揃えて「漢字が難しい」と言うのに、彼はそんなこと何も感じないのだなと感心した。やさしくはにかむ笑顔の口元からこぼれるソフトな日本語は、私の耳を次第に虜にした。ムスリムだけれど自分はそんなに信じていないと彼は語ったから、学生同士の私たちは焼き鳥を出す居酒屋に行き、ビール片手にいろいろなことを話した。生まれ育ったお互いの地元のこと、大学で取り組んでいる研究のこと、名前の由来、将来の夢について。彼のお母さんは敬虔なムスリムで、さまざまな事情でひとりで暮らしているけれど、アッラーを信じて毎日お祈りしているから大丈夫と話していた。母さんは強い人だよ、尊敬している、と語る彼の母想いの姿勢を私は素敵だと思った。いつの日か私も彼の母親に会える日が来るのかなと考えることがあったが、今思うとそれは勝手に妄想を広げすぎただけだった。

物静かな彼は日本が気に入っているように見えた。

「日本にはひとりでいられる余白があるから好き。シャンティ（平穏）な空間がある」

彼は語った。

「何かを強く主張しなくても、ここでは生きていける」

繊細なところがあった彼は、静かで、規則正しく、孤独であることをゆるす日本の空気を気に入っているように思えた。人と人が密に関係して生きていくバングラデシュが馴染まない少数派もきっといる。

「いつか美佳さんと日本のいろんな場所に行って、綺麗な風景を目に焼き付けたい」

蜜のような言葉に私の心は溶けた。日本で行ったことのない場所が私には山のようにあったから、彼とともに発見する美しい風景を想像し、胸がいっぱいになった。深い山の緑も、湧水でできた泉も、苔むす寺の境内も、彼と一緒にそれらを見て回るのなら、全てが美しさに満ちるような気がする。あなたの育った国と、私の育った国、その美しさを交互に交換しあいたい。あなたの国の河の真上で舟に乗り、故郷を見たい。私の国の山の頂で新鮮な空気を吸い、音のない世界を感じあいたい。そのとき確かにそう思った。
何度かふたりきりで遊んだ帰り道、彼の家に立ち寄ることになった。何杯ものアルコールでしっかりと酔いが回った深夜のことだった。私たちはタクシーの車内で、タゴール・ソングの話をして、その歌の詩をくちずさんだ。

扉の鍵を壊して私を連れ出してくれるのは誰？
おお 友よ！
君に会えないと　孤独な私は時間が止まったみたい
夜がもうすぐ明ける
空に太陽たちが現れてきそうな時間
道が目の前に広がっている
君の馬車は私のところにやってくるの？
星たちは　みんな瞬きもせずに見つめている
夜明けのふちにぼんやり座っている
君に会えば星たちは光の方へ消えていく
夜明けの旅人たちがおしゃべりしながらやってくる

列を連ね、歌を歌いながら！
ヴィーナの弦に花が咲き、メロディーが生まれている

——タゴール・ソング「Bhenge Mor Gharer Chabi」

ふわふわした気持ちと、きらきらした東京の街のあかりが溶け合っていた。これから始まる何かは歓喜の歌のようだ。詩を語り、手を取り合う。心の鍵を壊してしまおう！　その夜私は彼のところに泊まり、夜が明け、少し眠り、朝に帰った。それから何度か同じことを繰り返しては愛を語り合い、連絡を取り続けた。

彼にはどうも精神が不安定なところがあった。時間を共有するうちに気がつくことだった。気持ちが浮き沈みし、その状態を「頭が乱れる」という日本語で表現した。彼の病状のようなものを聞いて、私にできることはないかと思って専門書を読み漁ることもした。今となってはそれが本当だったのか確認できないのだが、「頭が乱れる」という表現をされる数日は、連絡が途切れてしまう。そのときは仕方ないと思った。連絡の取れないのが数日だったら理解し冷静でいることができた。バディのような立場で、彼を見守ることができると思うようにした。

しかしあるタイミングで一週間ほど連絡が取れなくなってしまったことがあった。世間は長期休みの時期だったから、部屋で死んでいるのではないかと本気で心配した。いてもたってもいられず、若さと時間を持て余した自制心のない私は彼の下宿先にのりこんだ。

なぜか、鍵が開いていた。恐る恐る扉を開けると、そこはがらんどうだった。何があったんだろうか、飛び降りでもしたんだろうか。台所は散らかっていて、バングラデシュ製と思われるヘアブラシが無造作に置かれていた。私は勝手にそれを彼のお母さんが置いて行ったものなんだと思うようにした。かなり古い木造建築の下宿は一階と二階にわかれており、意を決して寝室のある二階に私は向かうことにした。部屋のドアを開けて全体を見渡した。ベッドがある部屋は誰がどう見ても事後という雰囲気の乱れ具合だった。ぐしゃぐしゃの部屋には、女性が使いそうなスーツケースと、その人にプレゼントしたと思われるショップバッグが散らばっていた。荷物を全部燃やしてしまいたい衝動に駆られたが、部屋に火をつけるでもなく、私は冷静にそれらの荷物を観察することにした。まるで刑事が事件現場を検証するみたいに。結果、この場を今すぐ立ち去った方がいいという無意識の警報を聞いて、彼の下宿を立ち去ることにした。

「『扉の鍵を壊す』までもなかったなあ」

私はどうも、詩の世界に浸り過ぎていたようだ。勝手に編み上げた杜撰な物語を、ベンガル語の歌物語に乗せて描いていたらしい。全てが馬鹿らしくなった。騙されていたことが悔しくて、涙がこぼれた。澄み切った空をひとりで見上げて、あははと笑った。悲惨な光景を目にすると、乾いた笑いが込み上げてくる。頭が真っ白な私はなるだけ面白いことを考えながら涙を流して、今すぐ死んでしまいたいなという気持ちになった。でも死ぬのはできるだけ避けたいと思ったから、すぐに会ってくれそうな友だちを帰り道に呼び出して、さっき目撃したことを語らせてもらった。「あのときの顔は本当にひどかったよ」と、その友だちは後になって教えてくれた。夜には別の友だちが私のやけ酒に付き合ってくれた。屋外で飲んでいたから近所の人に通報されていたみたいで、警察の人がやってきて「大丈夫ですか」と質問してくれた。ごめんなさいとヘラヘラ謝り、宴会はお開きにした。おまわりさんの言う通り私は大丈夫ではなかった。

浮気されていたと知った状況は決定的で、疑いようもなかった。大切な人に裏切られるというのはかくも辛いものかということを散々味わった。私は過去に軽率な気持ちで人を裏切ったことを恥じ、これは何かばちでも当たったのだと思わずにはいられなかった。バングラデシュはムスリム同士のお見合い結婚が主流というのはよく聞くことだった。そりゃ身分や民族や宗教が釣り合う相手を家族が用意することなんて冷静になれば考えられるはずだったのに。それでも許嫁のような存在が相手にはいて、私はその人と会えない間の「つなぎ」の女性なんだということを突きつけられるのはかなり辛いことであった。

彼の家まで心配で見に行ったこと、そこで目にしたことを告げると、謝罪の連絡が次々に入った。私は「もう連絡しないでください」と心を閉じるしか方法がなかった。相手の「友だちにだけでも戻りたい。本当にごめんなさい」というメッセージも、心の内側にこれ以上侵入されるのが怖くて、無視することしかできなかった。彼との連絡手段もSNSも完全にブロックした。

彼が今どこで何をしているのかさっぱりわからない。もう国へ帰ったのかもしれないし、日本で元気に働いて結婚しているのかもしれない。だけれど「裏切られた」という感覚は、人間関係を構築する上で傷つかないようにするために、心に壁をもうけて慎重になる保身の態度として、私に残った。裏切りを重ねられた人が、人を信用できなくなる気持ちもわかった。私の経験は個人間の男女関係のトラブルに過ぎず、すべてのバングラデシュ人男性がこうであるわけがないというのは、頭では理解できる。実際、結婚した相手がバングラデシュ人であれ日本人であれ、誠実な付き合いを続けている人たちのことを私は知っている。たまたま出会った彼が悪いのであって、「バングラデシュ人男性」が悪いのではない。が、一度受けた心の傷は、気をつけなければ自分の中で特定の性別と人種の憎悪につながってしまいそうで怖かった。自分の中の憎悪を育てないためにも、コミュニティからしばらく距離を置いたほうがいいなと思うようになった。そのときは会社員だったから行く場所があって、やらなければならないことがあった。そのことに救われている自分がいた。

ボイシャキ・メラでまた会おう

ときは流れた。精神的にもある程度落ち着いて、軽率な気持ちで誰かの心に踏み入ったり踏み込まれたりするのを回避する方法を覚えた。今のパートナーを大切にする方法を一生懸命探し、試行錯誤している。カレーパーティーを介してバングラデシュ人男性の素敵な友人もできた。彼の作るバングラデシュ料理はとても美味しい。本国でのお見合いの結果、「カノジョができた」と聞いたときにはおもわず自分のことのように嬉しくなった。

「ミカさん、ボクは人生の新しいステージに行きます」

日本でしっかり働くその友人のことだから、きっとカノジョは妻となり、バングラデシュを離れ日本にやってきて、家族になって、この国で生きていくのだろう。「ノトゥン・マヌシュ（新しい人）」として初めは戸惑いながらも。そしてもし、私が覚えたベンガル語がカノジョの暮らしの助けになるのなら、そのときは手助けしたいと思う。

この言語をやっていていちばん心苦しいのは、バングラデシュ国内での貧困や雇用不足の問題が見えてしまうときや、日本で生まれ育ったバングラデシュ人やミックスルーツの子どもたちがマイクロアグレッションを受ける話を聞くときだ。ベンガル語を通じていろいろな社会問題を知るたびに、本当は、具体的に社会をよくするような職業のプロになれたらよかったのかなとも思う。ただ人間はスーパーマンではないし、向き不向きがある。支援やソーシャルワークやソーシャルビジネスの現場にいる人たちはとてつもなくタフで冷静沈着だ。自分にその素質があるのかどうかと聞かれると、はなはだ疑問なのである。

だから私は、このように文章を書いてベンガルのことを伝えることで、間接的ではあるが人々の心のなかに明るい興味関心の話題を提供し、「となりのベンガル人」のことを少しでも身近に感じてもらえたらと思うのだ。人間同士が衝突しあうのでもなく、ただ無関心でいるでもなく、平和なかたちで他者同士が出会える土台を作っているのだと私は信じて作家の仕事をしている。

四月のなかばには池袋でボイシャキ・メラ（新年祭）が開催される。ベンガル暦の新年を祝うために、この日はたくさんの在日バングラデシュ人がショヒド・ミナルのレプリカのある池袋西口公園に集結する。ベンガル語を学んでいる人間として、毎年この日が近づいてくるとソワソワしてくる。日ごろ顔を合わせていなくても、在日バングラデシュ人の友人に連絡を取りたくなる。「ボイシャキ・メラ、ジャベ？（新年祭、行く？）」というふうに。コロナで二年連続このお祭りは中止になっていて、二〇二二年にようやく小規模だが再開した。そんな久々のお祭りだったからか、ますます参加したくなった。

カレー作りの上手な友人にも再会した。どんなに長いこと会っていなかったとしても、「オネク・ディネル・ポル（久しぶり）」という挨拶のあとにすぐ、時間の経過を感じさせないフレンドリーさを見せてくれる彼らのことが私はやっぱり大好きだ。ただ何をするでもなく、久しぶりの再会を喜び、何かをともに食べ、お祭りに集まった人同士で新たにボンドゥ（友だち）をつくる。ボンドゥという単語は「つながり」というのが語源にある。結び目をさまざまに作りあげていくことで、もしものときの助けを借りる。異国で生きる彼らのタフさがこうしたお祭りからも垣間見える。「自己責任」というこの国で広がる価値観とはまた別の生き方が、彼らのコミュニティには広がっている。

ひととおりお祭りを楽しんでいるとあっという間に夜になる。明日の仕事があるからと言って、今日初めて出会った人同士で連絡先を交換して「デカ・ホベ」と手を振る。「会う・だろう」という意味の別れの挨拶の通り、私たちはいつかまたどこかで出会う。そのときは月日の流れを覚えていないみたいに、満面の笑みを交わし合うのだ。

愛情の王国で「家族」を見つける

ルパおばさんの悲しみ

「愛する人ができると、その人のためのスペースが心にできる。その人が行ってしまうと、心を占めていた場所が空洞になって、ぽっかり穴が空いてしまう」

ダンモンディというダッカの中心部の住宅街に住む、ルパ・アパ（ルパおばさん）の家を訪れたときのこと、彼女は私の手を握りしめて言った。品の良い紫色のジャムダニサリーに身を包んだおばさんの手にはたくさんの皺が刻まれていた。いつも朗らかなルパ・アパだから、私はとても驚いた。彼女ははとても悲しそうな目をしていた。

「その空洞に、今度はドゥッコ（悲しみ）が居座るの」

指で自分の胸のあたりをなぞり、悲しみが宿る場所をさししめしてくれた。

世界一の人口密度のダッカには心休まる場所が少ない。「ダッカ名物は渋滞だ」といわんばかりに道路が混雑している。普段三十分あれば行ける場所が、渋滞していると数時間かかることもある。歩行者も道路を注意深く歩かなければ、道路のでこぼこにつまずいたり車にぶつかったりしてしまうだろう。

ルパ・アパの手入れがいきとどいた家は、喧騒の街中でオアシスのようだ。車がビュンビュン走ることはない閑静な住宅街にそのマンションはある。警備付きマンションの階段を一生懸命上ると、ずっしりした品の良い扉がルパ・アパの家であることをすぐに伝えてくれる。その扉を開くとまず目に入るのが、たくさんの家族写真だ。家族写真の中から飛び出してきたみたいに、ルパ・アパは「ミカー！」と、私を久々に立ち寄った親戚のように出迎えてくれる。

ルパ・アパには三人の子どもがいる。それぞれ優秀で、長男はロンドンで立派に働き、次男はダッカ大学で文学を学びはじめた。ルパ・アパの友だちのような雰囲気でいつも一緒にいたタゴール・ソング好きのオネーシャちゃんは、つい最近留学のためにスウェーデンへ旅立ってしまった。

「寒い国でオネーシャは頑張っているの」

ベンガル語で「あら、まあ」という同情のニュアンスを示すとき、「オー、マー」と言いながら、眉をひそめる。暑い国で生まれたかわいいひとり娘が、極寒の国で学問するなんて！　オネーシャちゃんの苦労を想像しながら、ルパ・アパのいちばん近くにいた家族が遠いところに行ってしまったことのさみしさを思った。ルパ・アパは、窓格子で育てられている観葉植物から美しく咲いた花を摘み取って、私の髪にすっと挿した。花と一緒に、彼女の悲しみと愛情が私にも宿ったみたいだった。

すべてのものにバロバシャを

ベンガル語で愛は「バロバシャ」という。語源をたどると「良い感情」という単語であると推察できる。「私はあなたを愛している」というときは、「アミ・トマケ・バロバシ」という。一人称の動詞だと「バロバシ」となり、名詞だと「バロバシャ」になり、「バ」の音はbaではなくbhaで、有気音だ。本当に気持ちがこもっている「大好き」という言葉を発するとき、日本語のdaはもしかしたらdhaになっているかもしれない。日本語では、「愛している」よりも「大好き」の方が愛情や好きなものに対して気軽に使いやすいかもしれない。だから「愛してる」というとき、私はなんだか借り物の言葉を発しているような感じがする。「I love you」という情熱的なニュアンスを、どこかの洋画から借りてきているみたいな心地だ。来日したアメリカ人アーティストのライブで、「I love you!」と叫んでいる人がいたが、私にはその言葉が恥ずかしくて言えなかった。私がもし、英語ネイティブだったり英語圏で生活したことがあったりしたら、そんなことはなかったのだろうけれど。「バロバシ（愛している）」という単語を私が口にするとき、そのbhaの響きにうっとりとする。リズムもとりやすい。その愛は、親しみの深いものから崇高なものに対してまでの幅広い愛情を表明する。「ベンガル語の愛」や「母の愛」など、「バロバシャ」のイメージは何か柔らかい感じがする。にじみでるインクみたいに、砂浜をぬらすさざ波みたいに。慈しみの情が自然と表出してしまうイメージ。その「愛」を、タゴールは「サリーの裾衣が世界を覆うさま」として表現している。

まだベンガルに住んだことはない。だけど旅をしてベンガル語を通じてベンガル人と出会うなかで、出会った人との関係性が家族関係に例えられることがよくあった。

これを読んでいるあなたは「初めて会ったようには思えない」人と出会ったことはないだろうか。どことなく自分と似ている部分や雰囲気があって、すぐにこの人とは気が合いそうだと思うような人。「カチェル・マヌシュ（近しい人）」という言い方があるが、そういう人との出会いがあったとき、ベンガル人は自分と相手の年齢や性別を考えて、親しさを家族関係で表現してくれた。だから私は、ベンガルの国に行くと、「妹」になり、「娘」になり、「姉」となる。妹になるとき、姉の後ろをついていく。読めない本がところ狭しと並ぶ書斎や、永遠に知ることのない秘密の匂いを嗅ぐ。娘になると、愛情を一身に注がれる。「ショナ・メエ（黄金の娘）」と呼ばれ、「スヌスヌ」という子どもをあやす擬音語で、私は猫かわいがりされる。姉となるとき、少し長く生きている人間として堂々とした背中を見せる。かわいい弟に、かっこわるいところは見せたくない。この関係性を築くとき、実の家族とはやりきれなかった家族の愛を演じているような心地になる。

姉の背中を追いかけて憧れをいだくこと、うっとうしいくらいに父親から溺愛されること、困っている弟を守ろうとすること。実の家族だからこそムキになったり、恥ずかしかったり、うまくできなかったこともある。それらの過去をちょっとずつ埋めていくみたいに、ベンガルという土地で新しい家族のような関係性をつくっていく。まるで人生をもう一周はじめているみたいな感じだ。それぞれの愛は、私に人間を慈しむということはどのようなことなのかを教えてくれる。

さみしがりなひとびと

ベンガル系アメリカ人の作家ジュンパ・ラヒリの『その名にちなんで』（二〇〇三）とい

う小説がある。アメリカに移民したベンガル人の父と母と、アメリカで生まれた子どもたちが織りなす、家族の物語だ。のちにインド出身の映画監督ミーラー・ナーイルが映画化を手がけ、今は亡き名優イルファーン・カーンが父親役を演じる。本を読むとわかることだが、ベンガル人には名前がふたつある。ひとつは、書類に書くためのバロ・ナーム（正式名称）であり、もうひとつが家族や親しい友人の間で呼ばれるダーク・ナーム（ニックネーム）だ。この慣習が通用しないアメリカ社会において、息子につけられた名前が物語を大きく動かす軸となる。父親から与えられた「ゴーゴリ」という名前が気に入らなかった青年は、「ニキル」というインドルーツのアメリカ人らしい名前に改名する。アメリカの若者らしく夢を追い、仕事や恋愛を謳歌しているうちに、ある日父親の急逝を知らされる。父親の死が、「ゴーゴリ」という名前の由来と向き合い、父親の大きな愛を知るきっかけとなる。ニキルはベンガルで生まれたわけでもない、移民二世のアメリカ人だが、ベンガル世界に深く根付いている家族愛とは無縁でいられないのだ。

家族愛をだいじにするベンガルの人々は「家族は助け合うのが当たり前」という意識があるから、子どもは高齢の親に送金するし、親は大きくなった息子や娘をいつまでも気にかけつづける。日本で暮らしていると、学校を卒業すれば「自立」することがよしとされ、大人になっても家族と暮らしている人を「一人前ではない」とみなす風潮があるが、誰だって病気になったり元気がなくなったりするし、ひとりで働くことが難しいことだってある。そういうときに、お互いに手を差し伸べやすい関係の家族というあり方もいいなということを、ベンガルの人たちのナチュラルで距離のちかい関係を見ていて思う。

家族を離れ、日本で働くバングラデシュ人やインドのベンガル人だって、本当は家族みんなで一緒に暮らしたいはずだ。だけどより良い未来や、本国に暮らす家族や未来の家族のために、ひとり遠い国で働いている。愛情の王国で生きていた彼らが寂しさを経験しないわけがなくて、友だちとルームシェアをして暮らしたり、料理屋で働いている人だったら、お客の少ない時間に本国にいる家族にテレビ電話したりして、寂しさをまぎらわしながら暮らしている。

愛情に無縁でいられないのは私としても同じことだ。バングラデシュやコルカタの友人ができてからというもの「エカ・タクレ・バロ・ラゲ・ナ？（ひとり暮らしして寂しくないの？）」ということを、散々心配されてきた。「東京ではそれは普通のことだよ」と言っても、「へえ……」という反応をされて全く信じてもらえない。次に出てくるのは「マー・ババ・バロ・アチェン？（お母さんやお父さんは元気？）」という、離れて暮らす両親の話だ。「ふたりとも元気だよ」と言うと、そこでようやく安心してくれる。このような質問は一度だけではなく、何度も、何十回も、新しくベンガル人と出会うたびに繰り返されてきた。はじめのうちは「同じような質問もう飽きたよ」とうんざりすることもあったのだが、確かに何度も同じような質問を受けているうちに、「ひとりで暮らすのは寂しいことなのかもしれない」だとか、「お母さんとお父さんを大事にしたほうがいいな」とかいうふうに、考え方が少しずつ変わっていく自分もいた。

「ベンガル人の得意技はね、すぐに友だちになっちゃうこと」

初対面からぐんと距離を詰められる感じに初めはびっくりしたけれど、今ではそのフレンドリーさを私が他人に対して見せているかもしれない。ベンガル人と友だちになると、離れていてもちょこちょこメッセージを送ってきたり、ときに突然電話がかかってきたりすることもある。出会ったばかりの私を家に招いたり、ご飯を食べさせたりしてくれることもとてもよくあること。ぺちゃくちゃおしゃべりしていると「お母さんから電話がかかってきたから、ミカもベンガル語で挨拶してよ」と言われ、会ったこともない友だちのお母さんに「こんにちは」ということも。母親とのツーショットをfacebookにアップするベンガル人男性の写真を、最近は微笑ましく見ている自分がいる。

離れていても愛してる

愛情の王国に出入りしているうちに、すっかり自分が愛情にまみれてしまった。愛についての考えをアップデートしている最中とも言える。ベンガル人だけではなく、日本で出会った大切な人たちにも、同じように「カチェル・マヌシュ（近しい人）」と感じている人たちがたくさんいる。ただの友だちとも、恋愛の感情を持った恋人とも違う、なんともい言えない愛情の感覚。お互いの人生が続くうちは、つながりあって、お互いに「元気？」と確認しあいながらときどき会っては飲み食いし、困ったときには助け合う存在なんだろうなと思う人が、いろんな場所で生きている。心の中でそれらの人々のことを思うだけで、私は温かい心で満たされる。このあまねく満ちわたる慈愛の感情を、「バロバシャ（愛）」というのかもしれない。

愛情の王国から学んだことは、愛情とは何かということだった。愛情を知るということは、愛情を実践するということなのだ。「家族」というのが、血のつながる関係だけではないということも。ベンガルで学んだ愛は、街を照らす小さな灯りのように世界中に点在し、それらを思うだけでいつだって私の心を優しく明るい気持ちにさせてくれる。

ダッカに行くことがあったら、必ずルパ・アパのところへ顔を出そう。オネーシャちゃんが留学から一時帰国しているタイミングだったらいいな。今度は日本から、ルパ・アパに似合う色の花のかんざしをお土産にしてもいいかもしれない。

「言葉の箱」にベンガル語も英語も詰め込んで

英語で学ぶ？　ベンガル語で学ぶ？

英語教育がいいか、ベンガル語教育がいいか。ベンガル人の中で止むことがない議論である。ベンガル語社会に限らず、インド全土で盛んに議論されているテーマだろう。「English medium VS Bengali medium（英語での教育VSベンガル語での教育）」というトピックで、YouTubeにはたくさんの議論動画や、コメディ動画がアップされている。「イングリッシュ・ミディアム」という表現は、英語を教科・科目としてではなく、伝達手段として使う教育のことをさす。英語を母語としない生徒が対象の教育方法だ。家庭ではベンガル語を話し、学校では英語でさまざまな教科を学ぶ。だからなのか、

「ベンガル語を聞けるし話せるけど、書くのは苦手なんだ」

というベンガル人の若者とも出会ったことがある。「イングリッシュ・ミディアムか、

バングラ・ミディアム、あなたはどっち派?」という街頭インタビューでは、「英語の方が仕事が多い」とか、「公用語の多いインドにおいて英語はconnecting language（共通言語）だからインド全土で仕事をするときには必要な言語」というふうに、イングリッシュ・ミディアムで英語教育をうけている若者が、母語のベンガル語で受け答えしていた。

　言語学習には終わりがない。ただ、学習のどの過程にいるかで、手持ちの単語の数が異なってくる。ベンガル語で言いたいこと全てを言える状態ならばそれでいいのだが、学習者である以上、どうしても「単語レベルで覚えていない表現があるけれど、英語なら覚えている」という状況が発生する。そういうときに、ベンガル語で空白になっている単語の部分に英語を当てはめて、

「私はタゴール・ソングにinterest（興味）があります」

というふうに、ルー大柴のようなベンガル語を話して、取材相手とコミュニケーションをとる。『タゴール・ソングス』撮影中も、なるだけ多くのことを言語化し、相手と意思疎通を図って生き延びていった。英単語を混ぜながら話すベンガル語に、当初はそれでいいのかという戸惑いがあったのだが、単語がわからないからといって黙りこくっていたら取材もできないので、おろおろしながらも英単語をベンガル語の中に混ぜて話していた。

テレビデビューは生放送

『タゴール・ソングス』をダッカ国際映画祭に出品し、映画祭出席のためにバングラデシュに渡航したタイミングで、たまたまテレビの生放送に出演することになったことがある。インタビューに答えなければ放送事故になってしまう……という緊張のなか、スタジオに入った。隣にはアッサム州からやってきた監督。私は日本から来た作家として、対談に呼ばれた。司会の方が交互にインタビューを回すから、大体どのタイミングで何を答えればいいのかはわかるのだが、いざ生放送となるととても緊張する。「タゴール・ソングという題材に出会ったのはどうしてなんですか？」というベンガル語での問いに対して、お茶の間はバングラデシュ人なのだから全部ベンガル語で答えられたらよかったのだが、ところどころでやはり、ベンガル語でどのように受け答えしていいか頭の中の作文を見失ってしまうときがある。そんな状況でも黙りこむよりはマシだと思って、英語のセンテンスを交えながら、なんとかその場を乗り切った。

帰り際、番組のプロデューサーから、二千タカの入った封筒をもらった。テレビ出演という任務を遂行したのであった。ベンガル語と英語を駆使して受け答えしたことによって、初めてバングラデシュでタカを稼いだ記念すべき一日となった。

「言葉の箱」トランスランゲージング

このように、ヒンディー語とベンガル語を日本語で学んだ私がインドやバングラデシュと関わり始めてわかったことは、南アジアを視野に入れながら映画を続けていくためには「英語も現地語同様に、できるようになった方がいい」ということだった。受験勉強以降、英語と向き合おうと思ったことがなかったため、南アジアの世界に足を踏み入れてから実践せざるを得なくなったのだ。

例えば、今後新たな映画をベンガル語で制作したとして、それがベンガル語圏外で上映されることを考えてみる。それがマラヤーラム語の話されている南インドのケーララ州の映画祭だったとしたら、自分の映画のことを説明するとき、ベンガル語やヒンディー語を使うことはのぞましくない。ケーララ出身の人や国外からの参加者がベンガル語やヒンディー語を理解できる可能性は、ないとまではいわないにしてもかなり低い。その場でいちばん多くの人に理解してもらえる言語は、英語なのだ。映画には英語字幕をつけて、英語でスピーチしなければならない。

南アジアで生き延びるための私の言語的選択は、応用言語学の世界では「トランスランゲージング」というらしい。「バイリンガル」というと、例えば日本語と英語が、別々の箱の中に入っていて、両者が完全に別々に存在している状態をあらわしている。しかし「トランスランゲージング」の概念は、言語間に明確な仕切りがなく、ひとつの箱の中に言語リソースが一緒にまとめられているような状態をしめす。

この概念を知ったとき、私は深く納得した。南アジアの世界でさまざまなひとたちとコミュニケーションするにあたって、使える言葉はなんでも「言葉の箱」のような場所にためこんでいる感覚が私にはあったからだ。「言葉の箱」には全ての言葉が等しくそろっているわけではない。ありあわせの道具箱みたいなイメージだ。その場の判断で英語を取り出したり、ベンガル語を取り出したり、ベンガル人との対話では滅多にないがときどきヒンディー語を取り出したりして、目の前の相手と言葉をまじわらせ、相手とコミュニケーションしようとする。トランスランゲージングでは、ふたつ以上の言語を混ぜて用いるコードミキシング（平たくいえばルー大柴語）やコードスイッチングが自然現象として肯定・推奨されているそうだ。

そのおおらかさは、南アジアで広く共有されている「ジュガール」という概念に似ているなとも思う。その場にあるものを組み合わせて、問題を解決しようとする処世術を意味する言葉だ。まさに言語コミュニケーションもジュガールそのもの。（厳しいベンガル語の先生を除いては）私のベンガル語を「へんてこ」だと言ったり怪訝な顔をしたりする人はほとんどいない。むしろ口を閉じているよりもその場の雰囲気はよくなるから、ジュガールしたベンガル語を私はベラベラ話している。

英語教育普及の光と影

二〇二二年九月八日、イギリスのエリザベス女王が死去した。私のfacebookのタイムラインに、「インドから盗んだコヒヌールは誰のもの？」という皮肉めいたベンガル語の投稿が現れた。イギリス王室が所有する「コヒヌール」という名前の世界一大きなダイヤモンドは、一八四九年の第二次シク戦争の戦後処理の際、大英帝国がインドとの戦争賠償で手に入れたものである。インド独立後、コヒヌールの返還をインド政府は何度か要求しているが、イギリスはこれを聞き入れていない。コヒヌールは、イギリス植民地時代を象徴するものでもあるのだ。インドではエリザベス女王国葬の日を前に返還運動が再燃しているという。

英語教育がこれほどまでインドで普及しているのは、一九四七年の分離独立まで続いたイギリスの植民地支配の影響である。一八三五年、大英帝国はインド支配を効率化するために、「英語の話せる・キリスト教信者の・下級官僚インド人」を増やすべく、「血と皮膚の色はインド人だが、趣味と意見と道徳、知においてはイギリス人であるような通訳的な階層」を作ろうとした。結果、中産階級や上流階級の子息に対しての英語教育に力が注がれることとなり、大衆教育はおざなりになった。ラビンドラナート・タゴールが自分で詩を英訳できたのは、植民地時代教育の影響でもある。イギリス支配が終わった独立後の識字率は三十五パーセントであったことを考えると、植民地時代にはじまった英語教育が、独立直後から格差そのものを生産し続けているとも言える。

英語が植民地支配の遺物だとしても、英語を使いこなせるかどうかによって教育や就職の機会に大きな差が出る。ベンガル語はタゴールを育んだ言語だが、ベンガル人の親たちは子どもたちの将来のために「イングリッシュ・ミディアム」の教育を受けさせようとしている。しかし私立学校に子どもを通わせられるのは教育資金を捻出できる家庭になってしまうので、インド国内で教育格差が開き続けているのは否定できない事実だ。

一方、希望の光もある。インドのEdTechのスタートアップ企業Byju'sが、アプリでのオンライン教育を提供することで破竹の成長を続けている。家から遠くて子どもの通学が難しい家庭へ質の良いオンライン教育を提供することにより、ビジネスとして成功しながら教育格差を埋めることに貢献している。またコロナ禍で明るみになった国内のデジタル・

ディヴァイドに対してもアプローチしている。さらに、インド各地域のＮＧＯとも連携しながら、恵まれない子どもたちへの教育機会も提供しつづけているのだ。「教育を全ての人へ」というミッションを掲げるByju'sは、二〇二五年までに恵まれない一千万人にアプローチすることを目標だと語っている。もしかしたらテクノロジーの力でインドの格差問題を根本から解決してしまうかもしれない。誰もが「できない」と思っていたことを、「できる」に変えてしまうインド発のスタートアップのニュースに触れると、こちらも生きる勇気が湧いてくる。

ところで、この章を執筆している最中に興味深い記事を発見した。二〇一九年のニュースで、コルカタの「イングリッシュ・ミディアム」に通う子どもたちに向けて、ベンガル語の映画を見てもらう映画祭が開かれたというニュースだ。特集上映が組まれたのは、シルシェンドゥ・ムコッパッダエというベンガル語作家の作品が原作となった映画たちだ。

日々英語を媒介言語にしながら勉強に追われ、ベンガル語の映画を見る暇のない生徒たちにとって、映画祭で半ば強制的にベンガル語映画を見させられることは、ベンガルの文化に触れる非常に貴重な機会であることを想像した。上映後はベンガル人の映画監督や音楽家を招いてベンガル語で映画にまつわる「アッダ（トピックのあるお話の会）」をしたという。ベンガル語でクラシックな映画を見て、ベンガルの伝統であるアッダをベンガル語で楽しむ。なんとベンガル的なイベントなのだろう！　うんざりしながら半寝の子どももいるだろうが、映画のおもしろさに目覚める子どもも中にはいるかもしれない。映像が氾濫する現代において、映画というオールドメディアの可能性を感じるニュースでもあった。映画は娯楽でもあるが、各地域の文化や時代を記録するメディアでもある。世代を超えてともに鑑賞することで、次世代に文化をつなげることができる可能性を持っている。

それでも、ベンガル語で歌おう

南アジア世界はものすごい勢いで変化し、成長し続けている。言語も同様に、不変のものではなく可変化していく。ベンガル人に愛されているベンガル語のあり方も、グローバル経済のなかで変容していくだろう。とはいえインド・西ベンガルのベンガル人でもバングラデシュ人でも、移民でも二世でも、「ベンガリ（ベンガル人）」としてのアイデンティティを誇るミュージシャンなら、少なくとも一曲はベンガル語で歌を歌い、発表している。「イングリッシュ・ミディアム」で英語を第二言語のように習得したベンガル人でも、耳から味わうベンガル語の歌は大好物なのだ。音楽好きの若い在日バングラ人の友人であるナズムル（「ベンガルラップ」の章でも登場）が「インド人でもバングラデシュ人でも、アメリカ人でもイギリス人でも、ベンガル語で歌ってるんだからそれはベンガル語のガーン（歌）だ。関係なく聞こうよ」と悪戯っぽくはにかみながら私に語りかけてくれた言葉のとおりだ。エンジニアとして某有名企業に勤める彼は、ヒップホップ愛好家だ。ヒンディー語に比べベンガル語の音楽の市場は小さいと言われているが、国境を取り払ってしまえばリスナーはゆうに二億人を超える。世界中にちらばるベンガル人たちとともに、私もベンガル語の歌に耳を傾けていきたい。

ひとりの外国人のベンガル語学習者でかつ映像作家でもある私が、ベンガル語の世界に身を置くというのは一体全体どういう意味を持つのか、日本語の世界とベンガル語の世界にどのような影響を与える媒介となれるのか。その答えは、活動しながら明らかになっていくことなのだろう。英語とベンガル語の「トランスランゲージング」な世界で右往左往しながら探っていこう。未来に対する楽観的な姿勢はこの国の人々と関わる中でもう十分すぎるほど身についた。だから楽しいことも困難なことも味わいながら、ゆっくり答え合わせしていけばいい。

六つの季節をめぐりたい

台風の沖縄でバングラデシュを想う

夏の終わり、高校生の修学旅行ぶりに沖縄へ行った。パートナーの貴重な連休を利用しての弾丸旅行で、私だけ前泊をした。ちょうどそのとき沖縄諸島に台風が近づいているタイミングで、海遊びの予定が全てキャンセルされてしまった。全く馴染みのない土地で台風をひとり待つことほど怖いことはない。地元の人の意見を聞こうとして私は居酒屋のカウンターに飛び込んだ。

「今回の台風は長いことぐずぐずするから、ホテルに閉じ込められるくらいなら帰れるときに帰ったほうがいいいね」

隣の席のおじさんは、十個に一個辛いししとうが当たるふざけたロシアンルーレットをしながら、真面目なアドバイスをしてくれた。

「自然はコントロールできないからさ。今回は運がなかったよ。お姉ちゃんもししとう食べな」

弾丸旅行とはいえせっかくの旅なのにトンボ帰りは悔しい。泣く泣くししとうを食べていたら、案の定辛いやつにあたった。「運がないですねほんと」と酔っ払いながら自分の境遇をあわれんでいると、旅の土産にということで、隣の隣の席に座っていた師範のおじいが三線を聞かせてくれた。

楽しい宴から帰宅すると、大げさだと自分でわかってはいても、我が身の安全を思ってひとりでひどく焦ってしまった。旅先で災害警報を聞くのはこれが初めてではない。山形で土砂災害の警報を聞いて避難しながら、もしかしたらだめかもしれないという状況を味わったことがあるから、それ以降何かあったらできる限りの行動をとるようにしている。

「八年前の台風は、ドアが開かなくてね。それでドアに挟まれて指が飛んでく人がいたよ」という飲みの席での恐ろしい話を聞いた後、吹き抜けのホテルに泊まっている自分を呪った。泡盛と非日常と孤独にやられ、トイレの便器に突っ伏しながら、もし万が一、このまま台風に閉じ込められて、一週間ほど孤独にやり過ごさなければならないとしたらどうしようか本気で考えた。沖縄在住の頼れそうな知り合いがいないので、何かあったら在日バングラデシュ人のネットワークを頼りに誰かの家に身を寄せさせてもらおうとも思った。沖縄にはモスクがあるからきっとバングラデシュ人も沖縄に住んでいるはずと思ったのだ。

「確か、バングラデシュに初めて行ったときも、帰国便とサイクロンの進路を睨めっこしていたなあ」

台風が引き金になって、忘れていたことを思い出した。あのときは学生で、ステイ先もあって、「サイクロンが来たら来たで、もっとバングラデシュにいられるからラッキーだね」と笑えていたのだが、今回はひとりだ。仮に暴風域に閉じ込められたとして、その中で台風が過ぎ去るのを待つのは辛い。ひとりで暮らすのを極端に嫌うベンガルの人々の波長が、気がついたら染み込んでいるみたいだなと、酔いが回ってグロッキーになりながらも笑いが込み上げてきた。沖縄にいながらもベンガルのことを私は常にどこかで考えている。

夜の舟で「あなた」と出会った

沖縄とベンガル地方、国も言語も文化も何もかも違うと思うのだが、赤道付近の海上で発生する台風やサイクロンの影響をうける地域だということは共通している。コントロールできない自然はその土地特有の美や恵みをもたらす。

空に雲が広がり　雨の予感
私は独り　岸に座る
収穫の終わった稲は束となり
満潮の川はせわしく流れる
稲を刈り取ると　雨がふる

小さな水田に　私は独り
水があちこちを流れて溢れる
遠い岸辺に一本の木
インクの染みのような影をつくる
灰色の雲で覆われた村
この朝の日に　私は独り

聞き覚えのある歌が聞こえる
誰かが来る
激しい波の中
帆を張った小舟が進む
見覚えのある人だ
澄んだ目で岸を見つめている

ああ　あなたは遠くへ行ってしまうの？
それならしばらく休んでいきなさい
そしたら行きたい所に行って
与えたい人に与えておくれ
今は少しだけ
私に笑顔をみせて
黄金の稲をもっていってくれ
好きなだけもっていってくれ

まだあるのかしら?
もう全部積んでしまったよ
仕事が終わった私を
どうか一緒に連れていってくれ

いっぱいだ　いっぱいだ――小さな舟だから
私の黄金の稲で　舟は満たされた
雨季の空が世界をつつみ
厚い雲が駆け巡る
干潮の川の岸に
私は　独り
すべてを携え　舟は去る

――ラビンドラナート・タゴール　「黄金の舟」

タゴールの詩で、ベンガルの川の風景を描いたものがある。「私」と「あなた」が、川と岸で対面する風景だ。「黄金」と表現しているのは収穫された稲だろう。それを好きなだけあなたに譲ったのち、あなたと黄金の稲をのせた舟が遠ざかっていく。豊饒な、尽きることのない富。

映画の撮影で私たちもこの「黄金」を探しに、バングラデシュの農村を旅した。その際、夜の渡し舟に乗る機会があった。村だから夜になるとあたりが真っ暗になる。幅の広い、橋のかかっていない川を舟で渡ると、人々の営みの音が完全に遠ざかる。舟の上では、櫓が水をかくポチャンという音しか響かないのだ。視覚が認識できる情報も「今は私は水の上にいる」ということだけだった。そのとき、タゴールの詩の「あなた」という存在が、なんとなく実感を持って立ち上がってきたような気がした。水の上に取り残されてしまった自分と、何者かである「あなた」。周りの存在は言葉を潜めて、「私」と「あなた」以外はフレームの外に出ていってしまう。ベンガルが育んだ言葉たちを理解するにはやはり、言葉の生まれた風景や自然に身体をひたす必要があるなと感じた瞬間であった。

ベンガルの季節をめぐるのだ

「ベンガルの季節のめぐりを体感してみるといいですよ」

ベンガル語を私に教えてくれた奥田由香先生の話を聞いてからずっと、私は人生で一度はベンガルで生活してみたいと思っている。サグラダ・ファミリアを見てみたいとか、サンチャゴ・デ・コンポステラ巡礼の旅をしてみたいとか、ポルトガルでサウダージを感じてみたいとか、モロッコでスリッパを買いたいとか、いろいろな淡い夢があるのだが、それらよりもベンガルの季節のめぐりを体感したいという夢の方が優先度が高い。『タゴール・ソングス』という映画と本を作り、それらを通じてベンガルの文化を紹介する活動を続けていると、「留学したことはあるんですか」と聞かれることが何度もあった。それに「YES」とこたえられない自分が少し嫌なのだ。映画を作ったなんて、すごい経験ですよと言われることがあるが、なんせ季節のめぐりを経験していないのでベンガル語がなんなのかまだまだよくわからない。学習の途上にいるのだと思う。だから自分のことを「ベンガル語専門家」や「ベンガル語通訳家」とは呼ばず、「ベンガル語学習者」というふうに呼ぶことにしている。

ベンガルには六つの季節がある。春、夏、雨季、秋、晩秋、冬だ。六つの季節の中に、ベンガルが育んできた信仰にまつわる祭りが無数に組み込まれている。ベンガルという地域はかつてはひとつのインドという国だったが、今はインド側の西ベンガル州、バングラデシュというふうに国が分かれている。どちらの人ともつながっている私には、離れていてもなんとなく季節のめぐりが伝わってくる。

「シュボ・ノボボルショ！（新年おめでとう）」

というメッセージをバングラデシュ人と交換するのは、一月一日ではない。「ポヘラ・ボイシャク」というベンガル暦新年のタイミングだ。ボイシャク月は四月中旬から五月中旬。ポヘラは「最初」という意味だ。バングラデシュでは「ポヘラ・ボイシャク」は四月十四日と決められている。ベンガル暦は西暦とは違うので、二〇二二年は一四二九年だ。二〇二二年が令和四年であるように。書いていて自分でも混乱する。卯月や如月がパッと私たちの口をついて出ないように、最近の人は特にベンガルの暦を使わないそうだけれど、この「ポヘラ・ボイシャク」はベンガル人、特に「ベンガルの国」として独立したバングラデシュでは国の祝日として盛大に祝われる。

さあ、こいこい、ボイシャクよ（エショ・ヘー・ボイシャク・エショ・エショ）
春の吐息で悪いものを祓おう
去年積もった塵を片付ける
古い記憶や　忘れたメロディーを手放そう
涙の露は 乾いて消えてゆく

「esho he boishakh」とYouTubeで検索すると、簡単に歌が聞けるからぜひ聞いてみて欲しい。タゴール・ソングがこの新年祭のテーマソングとしてかならず歌われている。「エショ・へー・ボイシャク・エショ・エショ」というキラーフレーズは耳によく残るからすぐに誰でも覚えられる。

ベンガル暦の起源は諸説あるようだ。ムガル帝国時代、ヒジュラ暦がベンガルの作物の収穫のカレンダーと合わなかったらしく、徴税の便を図るためにベンガル暦が作られたという説もある。「ポヘラ・ボイシャク」の日に商売人は帳簿を刷新し、一日水につけて発酵させたご飯の上に、イリシュ（ニシン科の魚）やバジ（野菜の炒め物）ののった「パンタ・バート」と呼ばれるプレートを食する。ベンガル暦の新年を祝うお祭りは「ボイシャキ・メラ（新年祭）」という名称で、盆踊りが日系移民のいる土地で開催されるように、バングラデシュ人移民のいる世界のあちこちで開催される。お祭りの日は異文化に触れ合うまたとないチャンスだ。日本だと池袋で開催されているから、バングラデシュ人のエネルギーをぜひあなたにも体感してもらいたい。

新年の訪れはつまりベンガルの暦の上でのグリッショ・カル（夏）なのだが、この夏が過ごしやすいと聞いたことはない。「暑くて動けないから、日中は天井のパンカー（扇風機）

がぐるぐる回るのを見つめていた」という話を留学経験者の方から聞いたことがあるから恐ろしい。シャンティニケトンで暮らすスディップも「四十度くらいになる」と言っていたから暑いのだろう。ベンガルの夏、恐るべし！　と思っていたが、ここ最近の異常気象でＴＯＫＹＯという都市でも三十七度という数値を経験しているから、滞在するにあたってもはや大差ないのではという諦念が湧いている。歩いていると熱波につつまれて、汗がドバドバたれてくる。「正直、コルカタより今の日本の方が暑いときもある」ということを日本在住のベンガル人がぼやいていた。信憑性の高いぼやきである。

「夏は、マンゴーに生かされてるみたいな生活をしましたよ」

奥田先生はベンガルの夏の楽しみを教えてくれた。うだるような暑さの楽しみといえば、口の中でとろけるように甘いマンゴーだ。マンゴーが美味しいのはベンガル地方だけではなく、インド全域、パキスタンのマンゴーも絶品だ。残念ながらバングラデシュのマンゴーはまだ日本市場に出回っていないが、そのうち奴らもやってきて我々の舌を驚かせることだろう。バングラデシュのラジシャヒという地域はマンゴーの名産地と言われているが、そもそもなぜ名産地になったかと調べると、どうやらこの地域の王様がマンゴー好きで、たくさん植えたことが発端になったそうだ。そんな間抜けな話があるのか、と思っていたが、新大久保でパキスタンマンゴーを何度も箱買いするパートナーの様子を見ていたら、そんな王様がこの世に存在していてもおかしくないという気持ちになってきた。ラジシャヒ、いつかマンゴーの季節に旅してみたい土地のひとつだ。

　四月から六月にわたる、木の葉も枯れおちるような灼熱のベンガルの夏を知らぬ人には、この初めて雨のくる喜びは想像もつかないだろう。だからこそドゥルガは、髪をふりみだして雨の中を踊り狂ったのだ。

――小西正捷『ベンガル歴史風土記』法政大学出版局

　サタジット・レイの『大地のうた』で印象的な場面がある。雨の訪れを喜ぶドゥルガが長い髪をなびかせて踊るシーンだ。あれは、長い夏が終わったことの喜びだったのだ！　映画を見たものだけがこの後の結末を知るのだが、このシーンでドゥルガの喜びが爆発していることは画面からよく伝わってくる。

　東京には雨季の代わりに梅雨がやってくる。四月と五月前半の過ごしやすい気候が一気にじめっと暑くなる、嫌な季節だ。洗濯物は乾かないし、頭も痛い。私たちは雨がふったら傘をさし、雨にあたらないように努める。だけどベンガルの人にとっては、雨は暑さを和らげるもので、喜ばしい季節の到来を告げるものだ。ドゥルガは自らの意思で雨とともに踊り、喜びを表現する。

生活者にとっては恵みの季節でも、旅行者にとって雨季は旅程を不確実にするものだ。ボルシャ・カル（雨季）と呼ばれる季節は六月中旬から八月中旬まで続く。映画の撮影でバングラデシュの雨季を経験したが、もうお手上げという感じだった。撮影しようと外に出ても、空がゴロゴロなって風が強く吹いてきたと思ったら、びしゃびしゃに雨がふりつけてくる。すると露天商たちはビニールの屋根を取り払い、商品を守るための覆いにする。道からは人がさーっといなくなって、屋根のある建物へと一度避難する。機材が濡れるとたまったものじゃないから、私たちもホテルのレストランに戻り、レモンジュースを飲みながらぼんやりと外を見ているしかなかった。とんでもない雨量はすぐにダッカの路上を水浸しにし、歩行すらも困難にする。そういう日でも移動しなければならない人はリクシャやバイクや車に乗って、水をかきわけながら目的地を目指していた。

さらに、バングラデシュだと雨季の時期とラマダン月は重なることがある。バングラデシュは人口の八十五パーセント以上がムスリムなので、多くの人々がラマダン中だった。いくら夜には食べられるといっても、日中飲み食いができないのに、ウエイトレスとして働いていたら、意識がぼんやりしてくるのではないか。外国人も泊まるようなホテルではレストランも通常営業しているのだが、レストランスタッフに食事を運んでもらうのは少々気が引ける。心配すると「宗教的な喜びのためにやっているから問題ない」と答えてくれるとはいえ、だ！　作ってもらったレモンジュースを申し訳なさそうにしながら受け取り、それで時間をつぶすしかない。気がつけば雨があがる。
日没後、ぶらぶら商店街を歩くと、人々の活気が戻っている。露店のおじちゃんは満面の笑みを浮かべながら、パコラという揚げ物を食べきれないくらいくれた。断食明けに食べる食事のイフタールを旅人にも分け与えようとしてくれる。雨季の自然のきびしさと、恵みと、信仰が混じり合う人々の生活を垣間見た。

のちに永井は、なぜ自分がベンガル語をもっと学ぼうとするのか、ベンガルの文学を究めようとするのかということをインド滞在中に書いているが、まさにその通りのやり方であった。

（中略）
今から七年か八年前になるだろうか、最初にインドを旅し、カルカッタを訪れた時、私がいちばん興味をもったのは、人々の生活ということだった。たとえて言えば、人力車引きのおっさん、汗水たらして働いているのかどうかはともかく、彼らは一日、朝から晩まで、どんなことをし、何を考え、生活しているのだろうか。

——渡辺建夫『つい昨日のインド』木犀社

永井保氏はベンガル人にとって大切な農村文学でサタジット・レイの映画の原作にもなった『大地のうた』をベンガル語から日本語に翻訳し、紹介した方だ。残念ながら永井は四十七歳という若さでこの世を旅立った。『つい昨日のインド』は永井の親友であった作家の渡辺建夫氏が、彼の死を忘れないために書いた本だ。永井の翻訳は、流れる水のような言葉づかいでとても好きだ。

だから永井が語っていたその何気ない一言に私ははっとした。言葉はさまざまな経験を経て、その人の身体から育まれていくものなのだ。その土地の人たちと、歌ったり踊ったり食べたり飲んだりしながら、同じ美しい光景を目にし、辛いことや嬉しいことをわかちあうことでゆっくりと醸成されていく。なんでもオンラインでやりとりできるようになったし、その国に行かなくてもいくらでも言語は学べる環境になっているし、なんなら自動翻訳の技術が発達していく未来も考えることができる。それなのに言語学習をしたいと望むのは、利便性を超えた何かがそこにあるからだ。

冬のシャンティニケトンで

断片的な記憶と知識でベンガルの季節について綴っている。滞在していた季節のことだけを書いた、不完全な文章であることをお許し願いたい。なんせまだまだ「ベンガル語学習者」なのだ。幸いなことに私は季節のめぐりを体感する機会を手に入れつつある。具体的にいうとコルカタにある映画学校の留学が決まったのだ。この文章が本として読者の手元に届いているころには季節めぐりの生活をスタートさせているかもしれない。生活を通じてベンガルへの認識がどのように深みを増していくのか。私は今からワクワクしている。

断片的な記憶の中で印象的なのは、シト・カール（冬）のシャンティニケトンだ。ぐんと冷え込む。十二月中旬から二月中旬、乾季の時期に当たるから、旅行やビジネスをするのならこの時期の渡航がいちばん理にかなっている。汗をかかないというだけでも相当動きやすい。だけどシャンティニケトンの冬は身に応えた。夜はぐっと冷え込んで、シャワーを浴びる気力が奪われる。そんなときは「ゴロム・パニ（熱い水）」を作るのだ。沸騰させたお湯を文字通りの「湯種」にし、バケツに入れて水を混ぜる。適温になったお湯にタオルを浸し、ホットタオルを作り、体を拭く。できる限り持ち合わせの衣服で厚着をして眠った。

早朝、ひんやりとした空気で目が覚める。バウルの取材をする日だった。東ベンガルとはちがい、シャンティニケトン周辺は水源も少なく、開けた土地でもあるから乾季の冬は特に冷え込む。ホステルを離れ、この土地で「トト」と呼ばれるオートリクシャに乗り込む。運転手のおじさんは長袖長ズボン姿で、頭にマフラーのようなものをぐるぐると巻き付けている。私がマフラーをぐるぐるするジェスチャーをしながら、

「エタ・バロ・ラゲ？（これ、いい感じ？）」

と尋ねるとおじさんは、

「ジー。バロ・ラゲ。タンダ・コメ・ジャベ（いい感じだよ。寒くなくなる）」

トトのエンジン音に負けないように、声を張り上げてこたえてくれた。おじさんを見習って、首に巻きつけていたストールを頭に巻きつけてみると、ほんの少しだけ寒さが和らいだ気がした。窓ガラスのないトトという乗り物は、まっすぐの一本道をずんずん進んでいく。その両脇には刈り取られた作物の跡が均一に並ぶ荒野がただ広がる。今まで嗅いだことがない土や砂の匂いだった。どこまでも続くと思える赤土の道を走る高揚感と、ベンガルの大地の匂いを胸いっぱいにつめこんだ。

嵐の近づく沖縄のホテル。不安な心をなんとかなだめながら、私はバングラデシュの季節のことを想っていた。

うたいおどる言葉、黄金のベンガルで

タゴール・ソングがわからない

　ゼミの時間の前後、ベンガル文学を研究されている丹羽京子先生はときどきお茶を淹れてくれた。綺麗に陳列されたベンガル語の本に囲まれながら先生とお茶を飲むひととき、それはとても贅沢な時間だった。雑談を交えながら、先生は私の研究テーマであるタゴール・ソングについてコルカタで見聞きしてきたことを話し、私はそれを聴いていた。

「タゴール・ソングは、コルカタのＣＤショップでたくさん売られてますよ」

　それって、演歌みたいなものなのだろうか……。バングラデシュ産ストレートティーをすすりながら、私は先生の話の続きを待つ。

「コルカタの子どもたちは　習い事としてタゴール・ソングを日常的に歌っていますし、タゴール・ソングで生計を立てている歌手もいます」

本当にそんなことってあるのだろうか。ティーカップに染み付いた茶渋を見つめながら、私はコルカタという場所を想像した。ぎっしり詰め込まれた本棚から先生はタゴール・ソングのCDを引き抜いて、貸してくれた。

あなたは　私を終わりのないものに　お造りになりました。それが　あなたの喜びなのです。

——ラビンドラナート・タゴール『ギタンジャリ』高良とみ訳

「終わりのないもの」ってなんなのだろう。「あなた」が誰なのかもわからない、そんな高尚なこと考えたこともなかった……。タゴール・ソングを研究テーマにしようとしているのに、翻訳を読んでもタゴールの詩が全然頭に入ってこない。本をパタリと閉じてしまいたくなった。借りたCDでタゴール・ソングを聞いても、どこかつかみどころがなくて、ふわふわしている。タゴール・ソングはベンガルの人々に愛されているというが、そんなに愛される要素がどこにあるんだろう。私とベンガルの人々の間に、なんだか深い溝があるような気がした。

二〇〇五年、九月。バングラデシュではダカでのこと。わたしは四十代から八十代までの作家や詩人にインタビューしていた。今度は質問のしかたを変えてみる。「あなたにとってタゴールとは何ですか？」ある人はタゴールは空のようなものだと言い、ある人は空気のようなものだと言う。

——丹羽京子『人と思想119　タゴール』二〇一六年、清水書院

ベンガルが生んだ詩人・ラビンドラナート・タゴールの経歴はとても輝かしい。一八六一年、現在のインド・西ベンガル州のコルカタでの大富豪の家族の末子としてタゴールは生を享ける。一九一三年、彼自身が英訳した詩集『ギタンジャリ』が西欧世界でのタゴール発見のきっかけとなり、非ヨーロッパ人として初めてノーベル文学賞を受賞した。講演旅行で世界各地を訪問し、日本にも通算五回訪れている。

詩作だけでなく、彼は自らの詩にメロディーもつけた。それらの歌たちは「タゴール・ソング」と呼ばれ、作詞作曲されてから百年以上ときを超えた今でもベンガルの人々に歌い継がれている。インド・バングラデシュの国歌は二千曲以上もあるタゴール・ソングのなかから選ばれた。シャンティニケトンに理想の学園を創立した教育者でもある。

と、タゴールの経歴やタゴール・ソングについての情報を書きならべてみたところで、

彼のことを情報として知っている状態になるだけだ。「アミ・ロビンドロションギート・ジャニ」というベンガル語のセンテンスと、「アミ・ロビンドロションギート・チニ」というベンガル語のセンテンスは全然ちがう。どちらも「私はタゴール・ソングを知っている」という意味なのだが、「ジャニ」と「チニ」のうち前者は「情報として知っている」という状態で、後者は「深く理解している」という体感を意味する。私は、タゴールのこと、なかでも「タゴール・ソングが人々に愛されている」ということを、「チニ」の意味で知りたい、理解したいと思った。

喜びにも悲しみにも寄り添うタゴール・ソング

いま思い返せば、「タゴール・ソングを知りたい」という熱意が、ベンガル語の言葉の森に直接踏み入っていこうと思ったきっかけだった。人々のタゴール・ソングへの愛を知るために、私はこんな質問を投げかけた。

「あなたはタゴール・ソングをどう思っていますか?」

「どのタゴール・ソングが好きですか?」

「なぜ、そのタゴール・ソングが好きなのですか？」

プロのタゴール・ソング歌手、ロックシンガー、学生、古本屋の店主、チャ・ドカン（お茶屋）のおじさん、小さな子ども。質問するたびに、ほとんどの人が「タゴール・ソング、好きだよ！」と肯定的な返答をくれる。好きなことを語る人の表情には光が灯る。あの歌がいいとか、いや、私はこの歌がおすすめとか、瞳を輝かせた人々が話を勝手に盛り上げてくれて収集がつかなくなることもあった。

インタビューを重ねているうちに、人々がタゴール・ソングを楽しいときにだけ聞くわけではないことがわかってきた。

「辛いときでも、タゴール・ソングは寄り添ってくれるの」

目をほんの少しだけうるませながら、何かを思い出すように、好きなタゴール・ソングを私に聞かせてくれた女性がいた。

悲しみがある　死がある　離別がある
それでも　平穏や喜びは　繰り返し蘇る
絶え間ない生命の流れは　太陽　月　星を輝かせる
森には春が訪れ　さまざまな色を放つ

波は重なり合い　砕けていく
花は枯れて　そしてまた咲きほこる
破壊も　終わりも　不幸もない
私の心は　その満たされた世界に　辿り着きたい

——タゴール・ソング「Achhe Dukkho Achhe Mrityu」

「何があったんですか」と聞くまでもなく、彼女の心のうちを察することができるようなタゴール・ソングだ。誰かの具体的な死、別れを感じる歌だった。歌を歌いおわると彼女は涙をそっと拭って微笑んでくれた。

「私の人生を支えてくれた、大切な歌なの」

人々を通じて新しいタゴール・ソングに出会ったとき、私はその歌詞を訳しながら、歌ができあがった年代も調べるようにしている。タゴールが何歳くらいのときに作ったのか。そのとき彼の人生には何があったのか。想像することで、歌を作った人の気持ちも一緒に感じようと試みた。私は映画監督であると同時に、タゴール・ソングの優秀なリスナーになることにも時間をかけていた。

女性が歌ってくれたこの歌は、一九〇二年、タゴールが四十一歳のときの作。妻であるムリナリニ・デヴィを看取った後に書かれたタゴール・ソングだった。タゴールが直面し、歌をつくらずにはいられなかった苦しみ、女性の歌声を通じて響く「ドゥッコ（悲しみ）」「ムリット（死）」「シャンティ（平穏）」「アノンド（喜び）」というベンガル語が、ただの外国語の単語ではなく、具体的な手触りと重さを伴って私に迫ってくるような気がした。

「タゴール・ソングは、絶対に古くならない。本当の悲しみや喜びから、ロビ・タクル（ベンガル語でのタゴールの敬称）が歌を作ってくれたからね」

黄金の国から生まれるうた

悲しみをことごとく味わいつくし、そこから光を取り出したタゴール。ベンガルの自然のなかには美を見出し、それらを誇り高く歌い上げた。水がたっぷり満ちる東ベンガル、シライドホの農村生活で目にした自然を彼は余すところなく歌にした。ショナル・バングラ、黄金のベンガル。ショナル・トリ、黄金の舟。国土を貫くようにゆったりと流れる大河や、人々が手塩にかけて育てた大地に実る自然の恵みを、タゴールは「黄金」と表現し、言祝いだ。

我が黄金のベンガル　私はあなたを愛しています
アマル・ショナル・バングラ　アミ・トマエ・バロバシ

――タゴール・ソング「Amar Sonar Bangla」

のちにバングラデシュの国歌となったこの歌は、タゴールと、放浪の吟遊詩人であるバウルとの出会いを通じて生まれた。バウルという存在を一言で定義したり、くわしく書いたりすることは、この本ではできない。私がバウルの歌をタゴール・ソングと同じ深度で聞けているとは思えないし、何度歌を聞いても意味が深遠で、語ろうとしてもふさわしい言葉が出てこないからだ。

私はどこであなたと会えるのだろう　私の「心の人」よ
アミ・コタエ・パボ・タレ　アマル・モネル・マヌシュ

「心の人」とは一体誰なんだろう。バウルが立ち寄った村の人々になったような気持ちで、天に向かって歌声を届けるバウルの歌と舞いにじんわりひたる。バウルの生き方は時代やそれぞれのバウルによって千差万別だが、村人に歌をきかせ、人生や生き方を説いて托鉢することが基本のスタイルだ。シライドホのバウルの歌のメロディーを、タゴールは「黄金のベンガル」に生かして作詞作曲した。敬愛するタレク・マスゥドという映画監督の作品『泥の鳥』にも、大勢の村人がバウルを囲み、歌を熱心に聞いているシーンが登場する。

籠の中の見知らぬ鳥
どうやって行き来するの?

村人には、日々の暮らしがあり、家族がいて、義務がある。この歌を聞く村人は、鳥籠の中の鳥を自身になぞらえるかもしれない。世俗から離れて行者の人生を歩むことがうらやましくても、実際に暮らしから飛び出すことはなかなか難しいということもわかっているはずだ。だから歌を聞いている間だけでも、日常から切り離されて、生きることの本質を考えているのだろうか。鳥が自由に行き来できる状態、心が自由に飛び回っている様子を夢想する。ありがたい歌を聞いたあとは、バウルにわずかばかりの米を授ける。現代であれば、それはそれぞれのお財布事情で払える限りのお布施なのだろう。パロミタ友美氏という、バウル行者の日本人女性がいるが、彼女の歌を聞くとき、私はそのような気持ちで彼女に歌会の参加費を支払う。私はタゴール・ソングを求道する歌い手でもないし、バウルの行者でもない。あくまでも「ションシャレル・マヌシュ（世俗の人）」なのだ。楽しみのために歌うことはあるが、歌いびとではない。

同じ阿呆なら踊らにゃ損

「歌う」ことについては書いたが、「踊る」ことについて書き忘れてしまいそうだった。世俗の人である私は、踊ることのたのしみを、ベンガルの人々から教えてもらった。私をはじめてバングラデシュに連れ出してくれた教授（「食べさせられ放題」参照）とたまたま東京の大学に留学していたバングラ人教え子の三人で、六本木のクラブに繰り出した日、私ははじめて踊り明かした。「トーキョーのナイトライフを見てみたい」という教授の観光客らしい要望に応えるべく、正直一度も行ったことがない六本木に繰り出した。

適当なクラブを見繕い、ロッカーに荷物を預け、ガンガンと鳴るクラブミュージックが流れる店内へ潜入する。ああ、場違いなところに来てしまった。適当に酒をちびちびやって時間を潰していようかと思っていたら、教授がそのとき「エショ（おいで）！」と私の手を引っ張った。「いや、無理無理！　ナ・ナ（NO）」と言うまもなく、私は手を引かれ、そのままくるくると回っていた。でも踊ってみたらこれが意外と楽しかったのだ。酔った勢いでそのまま何曲も踊りつづけた。

「人生は一度きり。この夜もたった一度だけ」

教授は曲の音量に負けない声量で言った。彼のキザなセリフが我々の魂に火をつけ、一晩踊りあかす羽目になった。気がつけば早朝、ガストでグロッキーになりながら始発を待っていた。トーキョーのナイトライフをここまで満喫したことは、これ以降ない。

とはいえ教授のおかげで、世俗の人である私は世俗の人らしく、踊る楽しみを知った。「踊る阿呆に見る阿呆、同じ阿呆なら踊らにゃ損」という日本の歌は確かに本当だと思った。別に下手なステップでも世俗の人の踊りなら誰にも注目されることはない！　このときの経験から、私は夜通し踊るのが意外と楽しいことを知ったのであった。ベンガルを旅している最中も、踊る必要のある場面に何度か遭遇したことがあるが、六本木での予習経験が存分に生き、私はどこでも踊れる人間へと変貌を遂げた。ステップは、その場しのぎで目の前のベンガル人のものを真似て乗り越えた。

あのとき、六本木で「エショ」というベンガル語での呼びかけに素直に応えていなかったら、人生は変わっていただろう。手を取るか、取らないか。そんな些細なことが人生を変えてしまう気がする。ベンガル人に困りごとを相談すると、「ティク・アチェ（大丈夫）」だとか「ホエ・ジャエ（なんとかなる）」とか、根拠もなく自信たっぷりに励ましてくれる。楽観的すぎるよなと毒づいても、その言葉を信じることにしてみると、最終的には本当に大丈夫になるのだ。ここでも、言葉を信じるか、信じないか、私は選択に迫られる。言霊を信じるか信じないか。なんだか怪しい話のように聞こえるかもしれないが、ただそれだけなのだ。

ベンガル語の言葉の力を信じるということは、私の母語である日本語の力を考えるきっかけになる。言葉の力というのは、本当は何語にも備わっているはずだ。しかし日本語の世界を生きていると、「大丈夫」が、ついつい「大丈夫かな」という言葉に変換されてしまうことがある。日本語でも「大丈夫」と大きな声で自分を励ます練習がしたいし、そのような言葉を見つけたい。そして人々に「大丈夫」と言える自分になりたい。

この人生を黄金色に染めて

人生をあますところなく貪欲に味わい尽くそうとするベンガルの友人たちからいろいろ

なことを教わっている。人生を黄金色に染めるのも、染めないのも、結局は自分の気持ちと行動次第なのだ。大胆な行動を後押ししてくれるのは、タゴールや、バウルや、ベンガルの詩人たちの言葉。ときにヒンドゥーのかみさまを讃える言葉だったり、アッラーを讃える言葉かもしれない。それらは全て、ベンガルの人々にとっては大切な言葉、お守りのような言葉。ショナル・デーシュ（黄金のくに）をつくっているのは、黄金の言葉を話すショナル・マヌシュ（黄金の人々）なのだ。出会った黄金の全ては、私の心のなかで温かく輝き続けている。

わたしの　旅の時は永く
その道のりは　遙かに遠い。

あさの光が　さしたとき　車で出かけて
世界の荒野を　越えて
数々の星に　わだちの跡を　残してきた。

自分自身に　近づく道は

一番遠い　旅路なのだ。
単純な音色を　出すためには
いちばんめんどうな　訓練が要るのだ。

旅人は　ひとつひとつ　他人の戸口をたたき
一番終りに　自分の戸口を　みつける。
あらゆる　外の世界をさまよい　最後に
一番なかの　神殿に到達する。

わたしの眼は　遠くはるかに　さまよった。
そして　最後に　眼を閉じて　言った
「あなたはここに居られた！」と。

「おお　どこに？との　問い」と叫びは
涙に溶けて　いく千の流れとなり
「わたしは居る」という　確信の洪水となり

世界へ　逆流しはじめる。

――ラビンドラナート・タゴール『ギタンジャリ』高良とみ訳

『ギタンジャリ』の第十二章。今ならこの詩を読むことができる気がする。私は私自身を旅人であると確信しながら読む。「私の旅の時は永く、その道のりは遥かに遠い」のだ。だからもう一度旅をしよう。そう思って、私はこっそり映画を学ぶ学校への願書を書いた。それが運よく第一志望のコルカタの映画学校に届いて、私は拾ってもらえることになった。ベンガルの旅をもう少し続けられそうでホッとしている。「黄金の国」に住んでみることは長年の夢でもあった。

旅の続きを描いていけるうちは、めいいっぱいこの人生を「黄金」で染めていこう。もちろん、うたいおどりながらだ。

あとがき

エッセイを執筆している途中で、実はベンガルに戻ってきた。コルカタの映画学校に入学するのと、『タゴール・ソングス』をタゴールの生まれ故郷であるコルカタで上映するためだ。

大きなスーツケースとともに、シュバース・チョンドロボース国際空港に約五年ぶりに降り立った。深夜に到着し、外に出るとタクシーや迎えを待つ人で溢れかえっている。この風景はいつもと変わらない。マスクをつけて歩いている人がもういない風景を見ると、コロナ前に訪れたときと何ら変わりないようだ。

街の見た目は変わらないが、コロナを経験したことにより、見えないシステムが予想以上に便利になっていた。食べ物はアプリでオーダーできるし、必要な電化製品はAmazonでなんでも手に入る。テイクアウトサービスがコロナ禍で充実したためか、街のレストランはふるいにかけられ、美味しい飲食店が増えた気がする。野菜ですらオンラインでオーダーできる。新しいコルカタに新鮮な驚きを覚えている。

ベンガル語の世界に戻ってきたからには、映画学校でたくさんベンガル語が話せるはず……と意気込んできたのはいいものの、学校の共通言語は英語である。留学生はもちろん、数多くの言語が話されているインド全土から学生が集まってくるためだ。クラスの授業だけでなく、学生たちが集まるときの会話でも英語がメインとなる。ベンガル語を話す用務員さんと話すときはベンガル語を使い、タクシーの運転手がヒンディー語を話す場合はヒンディー語を使う。ときと場合に応じて三つの言語を使い分ける、まさにトランスランゲージングの空間である。そして映画を学ぶ学校だからなのか、私の学士号がベンガル語やヒンディー語の言語文化研究なのを伝えると、「変わっているね」という反応をされてしまう。

「この学校はインドの多様性を知るためには最高の環境」とダージリン出身のインド人の先輩が教えてくれた。日本における「大阪の人はこうで、東京の人はああ」のようなステレオタイプがこの国にもあるようだ。「ベンガル人は、親切に見えるけど書類仕事がとても遅い。デリーの人はのんびり屋に見えても、実は仕事はそれなりに速い」と豪語していたデリーの先輩のいうことが定かなのか私にはわからない。ただ学校に書類を提出して

「明日返事をする」と言われても、明後日になったり明明後日になることがあるため、あながち嘘ではないような気がしている。さらにいうと各地域から集まる学生の食べ物の好みもそれぞれである。ベジタリアンである北インドからきた学生は、ベンガルの魚料理が受け付けないらしい。「インド」の多様性がぎゅっと濃縮された環境にほうりこまれることになるようだ。

食べ物のこと、生活のこと、まだまだ前途多難である。早速ローカルフードを食べてお腹を壊してしまった。しかしなにはともあれ、「黄金のベンガル」に戻ってきたのだ！ タゴールと岡倉天心の名前がつけられたシアター「Rabindra Okakura Bhavan」（一一二頁参照）で、『タゴール・ソングス』を上映してもらった。上映後、若いベンガル人の学生さんたちが目をきらきら輝かせて、「マダム、とっても素晴らしい映画で、ノスタルジーに溢れていて、涙が出ました！」と言ってくれたのは嬉しかった。やっぱりベンガルと日本は文化交流という地下水脈でつながっているのだと思う。その水脈を育て、さらに心を通わせていくために、私はここにやってきたのだと思う。

私をベンガルの世界に導いてくださった丹羽京子先生、奥田由香先生に感謝申し上げます。ダッカ国際映画祭での『タゴール・ソングス』の上映をサポートしてくださったバングラデシュ大使館のみなさま、コルカタでの上映会を企画してくださった日本人会会長の本田毅さんやコルカタ領事館のみなさまのおかげで、映画を撮影の地に無事に還すことができました。執筆中にベンガル語の質問を何度も聞いてくれたパロミタ友美さん、ありがとうございます。この本はベンガルと関わる全ての人々の道の後に生まれました。

人生を通じて出会った数多くのベンガル・日本の友人、ベンガルへの冒険を見守る家族、困難な状況をいつもサポートしてくれるパートナーへ、心からの感謝を申し上げます。大学時代からの友人でもある編集者の堀川夢さんは遅筆の私をいつも励ましてくれました。校正の鷗来堂さんの丁寧な仕事と、装幀の松田行正さん、杉本聖士さんのユーモア溢れるコラージュ、コムアイさんのはっとする帯文が、この本の船出をサポートしてくださいました。ありがとうございます。

この本を手にとってくださった読者のみなさんの人生とベンガルが近しいものとなり、願わくばその関係が続き、深まっていくようにと願いを込めて書きました。書籍が入り口となり、ベンガルの世界へ遊びに来てくれる人が一人でも増えることを祈っています。

参考文献

・Tagore, Rabindranath. *Gitabitan*, Kolkata, 1973 or 1974.
・Tagore, Rabindranath. *Sonar Tari*, new Edition, Kolkata, 1941.
・タゴール、ラビンドラナート『タゴール詩集　新月・ギタンジャリ』高良とみ訳、社、一九六二年.
・タゴール、ラビンドラナート『タゴール詩集　ギタンジャリ　歌のささげもの 新装版』川名澄訳、風媒社、二〇一七年.

・Devi, Rassundari. *Amar Jiban*, Kolkata, 1876.
・Rokeya, Begum. *Sultana's Dream*, Madras, 1905.
・Lalita, K & Tharu, Susie. *Women Writing in India: 600 B.C. to the Present, V: 600 B.C. to the Early Twentieth Century*, The Feminist Press at CUNY, 1993.
・ニルモレンドゥ・グン、アル・マームド他『バングラデシュ詩選集』丹羽京子編訳、財団法人大同生命国際文化基金、二〇〇七年.
・『バングラデシュを知るための66章　第3版』大橋正明/村山真弓/日下部尚徳/安達淳哉編著、明石書店、二〇一七年.
・『南アジアを知る事典　新版』辛島昇/前田専学/江島惠教/応地利明/小西正捷/坂田貞二/重松伸司/清水学/成沢光/山崎元一監修、平凡社、二〇一二年.
・岡倉一雄『父　岡倉天心』岩波現代文庫、二〇一三年.
・辛島昇『南アジア史』山川出版社、二〇〇四年.
・河合隼雄『明恵 夢を生きる』講談社+α文庫、一九九五年.
・久保田竜子『英語教育幻想』ちくま新書、二〇一八年.
・クリパラーニ、クリシュナ『タゴールの生涯(上)』森本達雄訳、第三文明社、一九七八年.
・クリパラーニ、クリシュナ『タゴールの生涯(下)』森本達雄訳、第三文明社、一九七九年.
・小西正捷『ベンガル歴史風土記』法政大学出版局、一九八六年.
・鈴木亜望「女性たちのジェンダー規範と仕事の空間　バングラデシュの首都ダカにおける手工芸品工房の事例から」『南アジア研究』二〇一八巻三十号.
・セン、アマルティア『インドから考える　子どもたちが微笑む世界へ』山形浩生訳、ＮＴＴ出版、二〇一六年.

・チャンドラ、ビパン『近代インドの歴史』粟屋利江訳、山川出版社、二〇〇一年.
・中島岳志『アジア主義　西郷隆盛から石原莞爾へ』潮出版社、二〇一七年.
・中島岳志『中村屋のボース　インド独立運動と近代日本のアジア主義』白水社、二〇〇五年.
・夏目漱石『文鳥・夢十夜』新潮文庫、一九七六年.
・丹羽京子『人と思想119　タゴール』清水書院、二〇一六年.
・吹浦忠正『血と泥と　バングラ・デシュ独立の悲劇』読売新聞社、一九七三年.
・堀口松城『バングラデシュの歴史　二千年の歩みと明日への模索』明石書店、二〇〇九年.
・馬渕和夫『五十音図の話』大修館書店、一九九三年.
・宮沢和史『沖縄のことを聞かせてください』双葉社、二〇二二年.
・宮沢賢治『【新】校本　宮澤賢治全集　第二巻　詩〈I〉　本文篇』筑摩書房、一九九五年.
・ラヒリ、ジュンパ『その名にちなんで』小川高義訳、新潮クレスト・ブックス、二〇〇四年.
・レイ、サタジット『わが映画インドに始まる　世界シネマへの旅』森本素世子訳、第三文明社、一九九三年.
・ロホマン、シェーク・ムジブル『バングラデシュ建国の父　シェーク・ムジブル・ロホマン回顧録』渡辺一弘訳、明石書店、二〇一五年.
・渡辺建夫『つい昨日のインド　1968〜1988』木犀社、二〇〇四年.

参考ウェブサイト・動画

・Begum-Hossain, Momtaz. "I won't stop singing in Bangla," ASIANA TV. (https://asiana.tv/top-stories/i-wont-stop-singing-in-bangla/).
・Berger, Rod. "BYJU'S Divya Gokulnath Unapologetically Shatters The Glass Ceiling With More To Come," Forbes, 2022. (https://www.forbes.com/sites/rodberger/2022/07/12/byjus-divya-gokulnath-unapologetically-shatters-the-glass-ceiling-with-more-to-come/).
・Ghose, Chandreyee. "Films based on Bengali classics shown in English-medium schools," The Telegraph India Online, 2019. (https://www.telegraphindia.com/west-bengal/films-based-on-bengali-classics-shown-in-english-medium-schools/cid/1695430).

- Dam, Freja. “Rubaiyat Hossain: Women are agents of change,” DET DANSKE FILMINSTITUT, 2019. (https://www.dfi.dk/en/english/news/rubaiyat-hossain-women-are-agents-change).
- Ghosh, Subir. “Hoax about Indian national anthem and Bengali, the sweetest language,” write2kill.in Select writings of Subir Ghosh, 2010. (https://write2kill.in/blog/hoax-about-indian-national-anthem-and-bengali-the-sweetest-language).
- Livemint. “Byju's enhances free education target from 50 lakh to 1 cr by 2025,” mint, 2022. (https://www.livemint.com/companies/byjus-to-expand-free-education-prog-to-cover-1-cr-students-by-2025-11644505474429.html).
- Sayeed, Atika. “How 2 Feminists Reformers Changed The History Of Bengal Forever,” Where Young India Writes, 2022. (https://www.youthkiawaaz.com/2022/06/feminist-reformers-of-bengal-lady-who-change-the-concepts-forever/).
- 瓦谷登貴子、「岡倉天心とは？　日本美術を世界に知らしめた激動の人生を辿る」藝大アートプラザ公式ウェブサイト、二〇二二年 (https://artplaza.geidai.ac.jp/column/12488/)。
- 智山教化センター「第十八回愛宕薬師フォーラム　魅力のある僧侶とは～明恵上人の生涯と思想、夢の世界に学ぶ」真言宗智山派総本山智積院ウェブサイト、二〇一四年 (https://chisan.or.jp/shinpukuji/center/workshop/forum/%E3%80%8C%E9%AD%85%E5%8A%9B%E3%81%AE%E3%81%82%E3%82%8B%E5%83%A7%E4%BE%B6%E3%81%A8%E3%81%AF%EF%BD%9E%E6%98%8E%E6%81%B5%E4%B8%8A%E4%BA%BA%E3%81%AE%E7%94%9F%E6%B6%AF%E3%81%A8%E6%80%9D%E6%83%B3%E3%80%81/)。
- Folk Studio Bangla. “Bonomali Tumi Porojonome Hoyo Radha | Tina | Folk Studio Bangla New Song 2020 | Official Music Video,” YouTube. (https://www.youtube.com/watch?v=a7GF75w0rWw).
- Mr. Babu. “Skipster/DJ Skip feat. cizzy | Change Hobe Puro Scene | Bengali Hip-Hop 2021” YouTube. (https://www.youtube.com/watch?v=Gu1wTflKg94&t=1s).
- Rialan. “Rialan- MEYE NA (prod. by RON-E) || Bangla rap song,” YouTube (https://www.youtube.com/watch?v=uOMmPjlcN-Y).
- Tabib Mahmud. "Gullyboy Part 1 | Rana | Tabib | Bangla Hip Hop Song,” YouTube (https://www.youtube.com/watch?v=8srNOosDyfM).

英語・ベンガル語からの翻訳で訳者の表記のないものはすべて筆者訳。

佐々木美佳（ささき・みか）
福井県生まれ。映画監督、文筆家。東京外国語大学言語文化学部ヒンディー語学科卒。2020年、初監督作品であるドキュメンタリー映画『タゴール・ソングス』を全国の映画館で公開。2022年には『タゴール・ソングス』（三輪舎）を刊行し、文筆家としての活動もスタートする。現在Satyajit Ray Film and Television Instituteの映画脚本コースに在学中。

うたいおどる言葉、黄金のベンガルで

2023年2月28日　第一刷発行

著　者　佐々木美佳

発行者　小柳学

発行所　株式会社左右社
〒151-0051
東京都渋谷区千駄ヶ谷3-55-12
ヴィラパルテノンB1
TEL 03-5786-6030
FAX 03-5786-6032
https://www.sayusha.com

装　幀　松田行正＋杉本聖士

印刷・製本　創栄図書印刷株式会社

ISBN 978-4-86528-353-2

JASRAC出　2209213-201